DR. PIERRE DUKAN

O Método Dukan
•ilustrado•
Eu não consigo emagrecer

Tradução
Ana Adão

11ª edição

Rio de Janeiro | 2015

Sumário

Introdução 4

Um método que provou a que veio

A história desta dieta 8
Os carboidratos, os lipídios e as proteínas 10
O interesse pelas proteínas: as provas científicas 12
O Método Dukan 14
As quatro fases da dieta 16
Os três fundamentos inovadores
   e específicos da dieta Dukan 18
Perguntas e respostas 22
Resumindo... O Método Dukan em 12 pontos-chave 24

Fase 1: O ataque

Os objetivos da fase 1 28
As regras da fase 1 30
As proteínas puras 32
Os 72 alimentos autorizados na fase de ataque 34
O que comer na fase 1? 40
O café da manhã 44
O almoço 46
O jantar 48
Exemplos de cardápios da fase 1 (ataque) 50
Minha dieta no dia a dia (fase 1) 52
Perguntas e respostas 54
Balanço da fase 1 57
A fase de ataque em resumo... 58

FASE 2: O CRUZEIRO

Os objetivos da fase 2 **63**
As regras da fase 2 **64**
O ritmo da alternância **66**
O que comer durante a fase 2? **69**
Como preparar os legumes? **70**
A atividade física prescrita em atestado **72**
Exemplos de cardápios da fase 2 (cruzeiro) **80**
Minha dieta no dia a dia (fase 2) **82**
Perguntas e respostas **84**
Balanço da fase 2 **86**
A fase de cruzeiro em resumo... **88**

FASE 3: A CONSOLIDAÇÃO

Os objetivos da fase 3 **92**
Regras da fase 3 **94**
O que comer durante a fase 3? **98**
Administrando as refeições de gala **100**
A quinta-feira de proteínas puras **102**
Exemplos de cardápios da fase 3
    (consolidação) – Primeira parte **104**
Exemplos de cardápios da fase 3
    (consolidação) – Segunda parte **106**
Minha dieta no dia a dia (fase 3) **108**
Perguntas e respostas **110**
Balanço da fase 3 **112**
A fase de consolidação em resumo... **114**

FASE 4: A ESTABILIZAÇÃO DEFINITIVA

Os objetivos da fase 4 **118**
As três regras a serem respeitadas
    durante muito tempo... **120**
O grande futuro dos alimentos que auxiliam
    no emagrecimento **121**
A quinta-feira proteica **124**
O que comer às quintas-feiras proteicas? **126**
Exemplos de cardápios da fase 4 (estabilização) **128**
Minha quinta-feira proteica no dia a dia (fase 4) **130**
Perguntas e respostas **132**
Balanço da fase 4 **134**
Ganhou peso? O contra-ataque graduado **136**
A fase de estabilização em resumo... **140**
Dois grandes conceitos que mudam tudo:
    o programa on-line e acompanhamento diário **142**

ENTRADAS E APERITIVOS **145**

PRATOS PRINCIPAIS **187**

SOBREMESAS **245**

Índice das receitas **286**
Bibliografia **287**
Agradecimentos **287**

Introdução

Há quase quarenta anos, em todos os dias de minha vida profissional, luto contra o sobrepeso. Comecei sozinho, como um artesão de campo, durante minhas consultas.

Ainda um jovem médico, tive a sorte de criar a dieta das proteínas alimentares. Ao longo dos anos, aperfeiçoei-a, ajustando-a às necessidades e às opiniões de meus pacientes. A dieta se tornou, progressivamente, um plano global, publicado em 2001 com o título *Je ne sais pas maigrir* [Eu não consigo emagrecer]. Desde esse dia, que me trouxe a mais bela recompensa imaginável, mais de 8 milhões de leitores leram meu livro em mais de vinte países. Infelizmente, não sei a proporção dos que seguiram a dieta proposta, e menos ainda dos que conseguiram atingir o peso desejado, que o consolidaram e que não voltaram a engordar.

Mas sei que, todas as manhãs, recebo cartas calorosas de um número cada vez maior de leitores que fizeram bom proveito do livro e de seu método, que o consideram essencial e têm orgulho de torná-lo conhecido. A difusão de minha dieta foi feita boca a boca, sem qualquer apoio publicitário. Hoje, tenho consciência de que meu método não pertence mais a mim propriamente falando, mas a todos os leitores que o observam e propagam.

Quem são eles? São, principalmente, mulheres organizadas e espalhadas pelos quatro cantos da web. Atualmente, contam-se mais de quinhentos sites, fóruns e blogs, nos quais voluntários, anônimos e benevolentes vivem, ao vivo, uma tentativa de controlar seu peso com a ajuda de minha dieta. Foram elas que nomearam o método com meu próprio nome. Eu nunca ousaria fazê-lo sozinho.

Este livro e este método são dedicados aos que procuram emagrecer e que, confrontados à infinidade de dietas existentes, não sabem como e o que escolher. Fiz um repertório de 210 regimes propostos a partir dos anos 1950, dos quais 72 foram publicados. Apenas 15 têm alguma coerência e, entre eles, não restam senão sete grandes planos:

- o das poucas calorias, o mais antigo e lógico na teoria e o menos eficaz na prática;
- o Atkins, revolucionário e eficaz, mas que abre as portas à gordura e seus malefícios;
- o Montignac, primeiro filho do Atkins, com suas qualidades e defeitos;
- o Vigilantes do Peso, muito inovador graças às suas reuniões, mas centrado no regime das poucas calorias;
- o South Beach, um bom regime, mas sem verdadeira estabilização;
- a dieta das proteínas, a mais vendida no mundo, a mais antinatural, uma verdadeira bomba de fazer engordar muito e de maneira durável;
- o método que proponho.

Não sei se deveria escrever isso, pois posso parecer ser muito convencido, mas acredito fundamentalmente que, entre todos os métodos propostos atualmente, este é, de muito longe, o melhor. Pela simplicidade de sua configuração, pela firmeza de seu panorama, por sua eficácia, por sua rapidez de partida e pela durabilidade de seus resultados, pela simplicidade e naturalidade de seus cem alimentos que podem ser consumidos à vontade, pela facilidade de sua execução, por sua globalidade de ação em todos os aspectos do emagrecimento, meu método parece a melhor maneira de emagrecer disponível nos dias de hoje e, principalmente, de não mais engordar.

Batalho para que este método se torne um padrão de referência na luta contra o sobrepeso no mundo. Leitores e leitoras, deixo que sejam juízes de sua eficácia. Neste livro, vocês encontrarão meu método em sua integralidade, a abertura à atividade física finalmente tendo prescrição médica e um caderno de receitas que possibilitará uma variação infinita de pratos ao longo da dieta (nesta versão, estão incluídas novas receitas vegetarianas). As receitas dão a dimensão do prazer sem o qual a luta contra o sobrepeso não existiria senão sob o único ângulo da restrição.

Entre nesta guerra com três palavras de otimismo em mente: "à vontade", "rapidez" e... "gula"! Convencido? Deixe-se guiar, o ponteiro de sua balança já começa a querer se mexer!

Um método
que provou a que veio

Qual é o único grupo de alimentos pouco calóricos que pode trazer ao corpo uma sensação de saciedade, sem cansá-lo? O das proteínas.

A história desta dieta

Tudo começou quando eu era um jovem clínico geral, em um bairro de Montparnasse, em Paris. Um de meus pacientes era obeso e parecia estar conformado com isso, mas um dia ele veio me ver para que eu o fizesse emagrecer. Respondi-lhe, antes de mais nada, que eu não era especialista no assunto. O paciente contra-argumentou imediatamente, dizendo que conhecia bem os especialistas aos quais fiz alusão, e que já havia testado todos os métodos existentes, sem nunca conseguir perder peso de maneira durável.

"Sozinho, consegui perder 300 quilos desde minha adolescência, e como você pode ver, todos eles voltaram!", disse ele, com um tom de profundo desencorajamento.

E acrescentou: "Seguirei todas as suas instruções ao pé da letra, farei o que quiser. Exceto uma coisa: não tire meu direito de comer carne, gosto demais de carne!"

E a aventura começou assim, quando respondi, sem hesitar: "Bem, durante cinco dias, coma apenas carne, o quanto quiser."

Na semana seguinte, meu paciente estava novamente no consultório e exibia um sorriso radiante. Tinha perdido quase 5 quilos!

Deste modo, decidimos, de comum acordo, continuar a experiência. Pedi, contudo, que bebesse bastante água e que fizesse um exame de sangue, pois eu estava preocupado com seu colesterol. Uma semana mais tarde, seu exame de sangue estava perfeito e ele tinha perdido mais 2 quilos...

Foi assim que comecei a me inclinar de maneira mais precisa para o papel das proteínas no âmbito do emagrecimento. Depois de vinte dias de dieta, meu paciente havia perdido quase 10 quilos, mas começava a se cansar de seu alimento preferido. Por isso adicionamos às suas refeições alguns legumes, laticínios, ovos e peixes.

Eu continuava a não criar qualquer restrição com relação às quantidades de alimento, e ele apreciava tal liberdade com alegria, enquanto se submetia de bom grado às minhas instruções precisas: consumir apenas proteínas e alguns legumes.

Desde então, como você poderá ver ao longo destas páginas, meu método foi se tornando mais refinado graças às reações de meus pacientes, e elaborei receitas simples e práticas, com a mesma base de sempre: ao privilegiar as proteínas, é possível emagrecer rapidamente, de maneira durável e sem restrições de quantidade.

Com o advento da internet, juntei minha experiência com a de meus pacientes... Os internautas que acessam meu site compartilham sua experiência comigo, minhas dicas se misturam às suas às minhas receitas adicionam-se as suas – menos profissionais, mas tão criativas quanto – e as mulheres se expressam nos fóruns. Trabalhamos juntos, buscando um objetivo comum: emagrecer com gula!

Do "Zerocomplexo", passando pelo "Clube-Regime" ou pelo "Regimefácil", todas as pessoas que participaram dos fóruns ajudaram na construção de meu método. Logo, não sou o único autor desta dieta, pois meus pacientes são criadores permanentes!

Este livro é o resultado de longos anos de experiências, testes e avanços dos quais você hoje pode aproveitar.

Se, como o meu primeiro paciente, você seguir minhas instruções ao pé da letra, é impossível que não emagreça rapidamente. Você não precisará de um aparato complexo, apenas uma balança será necessária. Sem cálculos de calorias, sem limite para os alimentos permitidos, sem quadros com números complicados.

A leitura das diferentes etapas é muito simples, pois você não terá senão duas ou três instruções para memorizar. Quanto ao resto, continuando com este cenário simples, tudo poderá ser consumido à vontade.

Antes de nos lançarmos ao princípio da dieta propriamente dita, é preciso fazer um pequeno e rápido resumo dos diferentes grupos de alimentos, para que não se cometam erros na escolha de seus ingredientes.

Os carboidratos, os lipídios e as proteínas

O conjunto de alimentos que consumimos é composto por apenas três classes de nutrientes: os carboidratos, os lipídios e as proteínas. O valor calórico destes três nutrientes é diferente, mas já se sabe atualmente que é importante não considerar um alimento apenas em termos calóricos: deste modo, as 100 calorias trazidas por um pedaço de bolo de chocolate, de peixe ou de vinagrete não são tratadas da mesma maneira pelo organismo. O proveito final destas calorias varia muito em função de sua origem. Por este motivo, é importante conhecer bem os nutrientes, para que as escolhas certas sejam feitas dentro da dieta que começaremos juntos.

Os carboidratos

Os carboidratos são também chamados de açúcares rápidos ou açúcares lentos. Os açúcares rápidos são os que encontramos em alimentos de sabor açucarado: balas, doces, vinho, mel, frutas... Todos sabem que estes não são amigos das dietas... Os açúcares lentos estão na composição do pão, das massas e também dos legumes secos, como lentilhas ou vagens. Dizemos que são "lentos" porque o corpo os assimila de maneira mais devagar que os açúcares rápidos, os quais provocam, pouco tempo depois de terem sido assimilados, uma grande sensação de fome. No plano metabólico, estes últimos favorecem a secreção de insulina, provocando a produção e o estoque de gorduras.

Os carboidratos fornecem apenas quatro calorias por grama, mas costumam ser consumidos em grandes quantidades, para que nos sintamos satisfeitos.

O programa de nossa dieta exclui quase totalmente a ingestão de carboidratos até que se chegue ao peso desejado (com exceção dos trazidos pelos legumes, pelo farelo de aveia e pelos laticínios). Eles serão reintegrados na forma de pão e féculas apenas no período de consolidação (fase 3). Em seguida, você poderá consumi-los novamente em total liberdade durante seis dias da semana, durante a fase de estabilização (fase 4).

Os lipídios

São, em geral, bastante conhecidos por quem deseja emagrecer, pois são o inimigo número 1 de sua linha. Com 9 calorias por grama, os lipídios também são chamados de gorduras. Estão praticamente ausentes de nosso programa, à exceção dos contidos em carnes e peixes autorizados. As gorduras podem ser de origem animal: os embutidos de porco contêm muitos lipídios, assim como as carnes de cordeiro e carneiro. Certas aves e peixes são, igualmente, muito gordurosos: pato, ganso, salmão, atum... Mas as gorduras dos chamados "peixes gordurosos" são benéficas para a saúde, graças ao seu alto teor de ômega 3. Evidentemente, a manteiga e o creme de leite são compostos por mais de 80% de lipídios e, logo, são proibidos. Os lipídios vegetais, como o azeite e o óleo de canola, ainda que interessantes para a saúde (são especialmente ricos em ômega 3 e bons para o coração), serão proibidos ao longo de sua dieta, com exceção de uma colher de café do vinagrete Maya.

As proteínas

Dos três nutrientes, as proteínas são as únicas não carburantes naturais do organismo. O organismo utiliza as proteínas para construção (crescimento), manutenção e reparação: renovamento da pele, das unhas, dos cabelos, dos tecidos musculares, da memória e dos glóbulos sanguíneos... As proteínas também intervêm em outras funções do organismo, como no controle da imunidade. São constituídas por um conjunto de vinte aminoácidos diferentes. Existem proteínas de origem animal e de origem vegetal. As fontes mais importantes de proteína vêm de produtos de origem animal: a carne é extremamente rica em proteínas. Certos alimentos ricos em proteínas são praticamente desprovidos de gordura e particularmente interessantes para nossa dieta, como é o caso dos cortes magros do boi, do peru, de certos abates, dos peixes brancos, dos camarões, do caranguejo, o tofu... A clara do ovo é a proteína de referência, pois é desprovida de colesterol, que está concentrado na gema. Os cereais e as leguminosas também têm proteínas, mas são muito ricos em carboidratos. Por isso não os retemos em nosso regime. Ao longo da fase de ataque, suas refeições devem ser compostas por proteínas, unicamente proteínas.

As proteínas, um nutriente vital

O consumo exclusivo de proteínas durante uma dieta não é perigoso, muito pelo contrário, pois as proteínas são o único grupo de nutrientes que seu corpo não é capaz de sintetizar sozinho. Ele encontrará carboidratos e lipídios necessários à sua dieta buscando-os em suas reservas. O corpo não será, contudo, capaz de fabricar proteínas sozinho e, por isso, uma dieta sem tais nutrientes poderia ser perigosa. Em caso de insuficiência, o corpo encontrará as proteínas necessárias à sua sobrevivência nos músculos, na pele ou mesmo nos ossos. Uma dieta deve sempre fornecer ao menos 1 grama de proteína por quilo, e as proteínas devem ser igualmente repartidas ao longo das três refeições.

O interesse pelas proteínas:
as provas científicas

As proteínas puras reduzem o apetite

Por não serem facilmente digeridas, as proteínas são poderosos inibidores de apetite. O grande consumo de proteínas puras provoca a secreção de corpos cetônicos, que proporcionam uma sensação duradoura de saciedade. Depois de três dias de proteínas puras, a fome desaparece totalmente. Você resistirá mais facilmente à vontade de beliscar porque o fantasma da fome não será mais uma ameaça.

As proteínas puras reduzem o acúmulo de calorias

Para o ser humano, a proporção ideal de nutrientes (da qual ele obterá a maior parte das calorias necessárias à sua sobrevivência) é composta de acordo com a seguinte fórmula: cinco partes de carboidratos, três partes de lipídios e duas de proteínas. Quando a composição do bolo alimentar corresponde a esta proporção, há assimilação ideal de nutrientes, que ocorre ao longo do intestino delgado, com o máximo de eficácia. Quando a proporção foge à regra, há uma desregulação na absorção de nutrientes pelo organismo, quadro particularmente interessante durante uma dieta. A alimentação restrita a apenas um dos três tipos de nutriente ocasiona, automaticamente, uma má absorção das calorias. Uma alimentação composta exclusivamente por carboidratos ou lipídios é inconcebível, pois, a longo prazo, colocaria sua saúde em risco: aumento do colesterol, diabetes, problemas cardiovasculares... Apenas uma alimentação composta exclusivamente por proteínas pode ser realizada sem causar danos ao organismo. Ao prover o aparelho digestivo com refeições proteicas, ele lutará para tirar proveito máximo do conteúdo calórico dos alimentos. O organismo passará a retirar apenas as proteínas indispensáveis à manutenção das atividades dos órgãos, utilizando muito pouco do resto das calorias fornecidas.

Você queima as calorias e digere as proteínas!

A digestão das proteínas é extremamente lenta. Você sabia que são necessárias mais de três horas para digerir e assimilar uma refeição rica em proteínas? E isso não é tudo: para extrair as calorias das proteínas, o corpo precisa fazer um grande esforço. Calcula-se que para utilizar 100 quilocalorias é preciso gastar pelo menos 30! O simples fato de digerir reduz as calorias de uma refeição rica em proteínas.

As proteínas puras ajudam na luta contra a retenção de líquidos

As dietas à base de vegetais, frutas, legumes e sais minerais favorecem a retenção de líquidos. A dieta aqui apresentada, à base de proteínas, é, em contrapartida, hidrófuga, pois facilita a eliminação urinária, particularmente vantajosa no período de menopausa ou pré-menstrual. Nosso método é, então, muito interessante para as mulheres, que tendem a reter água nos tecidos mais facilmente. Algumas de minhas pacientes, pouco habituadas com o sobrepeso antes da menopausa, percebem seus pés inchados, as pernas pesadas e a barriga dura. As pequenas dietas que elas costumavam fazer (como comer menos depois de uma semana de festas, por exemplo) se mostraram totalmente ineficazes. O plano de ataque de nossa dieta, composto exclusivamente por proteínas, faz milagres a essas mulheres.

As proteínas combatem a celulite de maneira eficaz

Os resultados da dieta proteica do Método Dukan sobre as celulites são espetaculares. Esses resultados são explicados, simplesmente, pela capacidade hidrófuga das proteínas e pela intensa filtração dos rins. A água penetra nos tecidos e sai levando consigo os dejetos. Assim, as celulites desaparecem. Portanto, é indispensável ingerir bastante líquido durante toda dieta.

Beba bastante para eliminar os dejetos

O corpo não utiliza mais do que uma pequena parte do que você come. Aproximadamente, 50% é assimilado. O resto é eliminado em dejetos pela urina, e pode provocar um aumento de ácido úrico. Para reduzir esse prejuízo, é preciso ingerir bastante líquido durante esta dieta (2 litros de água por dia). Nossos estudos demonstram que, com a hidratação necessária, o consumo de proteínas não apresenta qualquer risco. O resultado da soma proteína + água é muito benéfico contra a celulite!

O Método Dukan

Como se organiza o Método Dukan?

No início, a dieta se chamava "Protal", resultado da contração de duas palavras: proteínas e alternativas. O método era realmente composto por um dueto de dietas que funcionava como um motor em dois tempos: um período de regime de proteínas puras, a fase de ataque, seguido por um período de proteínas associadas a legumes, para dar ao corpo um tempo de recuperação, a fim de que este aceitasse sua perda de peso. Desde então, meus leitores me deram a honra de associar meu nome a este regime: "o Método Dukan", o que fez com que o primeiro nome desaparecesse.

Em seguida, graças à experiência que compartilho com meus pacientes, percebi que este plano não era totalmente suficiente. De fato, uma vez que o peso era perdido e o objetivo, atingido, meus pacientes tinham uma grande propensão a relaxar totalmente e, assim, recuperar rapidamente o peso anterior. Por este motivo, atualmente, a dieta Dukan se integra em um plano de emagrecimento maior, composto por quatro fases indissociáveis umas das outras. Assim como garante que não se engorde se as fases forem seguidas uma após a outra, sem exceção, também é inevitável recuperar o peso se não forem seguidas as duas últimas fases de consolidação e estabilização.

Em contrapartida, a dieta Dukan, em seu conjunto, oferece certas vantagens, e sua motivação com certeza permanecerá firme e forte, por quatro razões:

• o Método Dukan propõe uma lista de instruções muito precisas, basta respeitá-las para obter resultados;
• o Método Dukan é um regime totalmente natural. Entre os regimes naturais, é o de melhor desempenho;
• o Método Dukan não é frustrante, uma vez que seus cem alimentos são autorizados à vontade;
• não é possível fazer o Método Dukan pela metade: para se alcançar os resultados, ele deve ser aceito em sua totalidade; caso contrário, é um fracasso!

As quatro grandes etapas do Método Dukan

• FASE 1: O ATAQUE com as proteínas puras (PP)
Esta fase é composta unicamente por alimentos ricos em proteínas. É uma fase bastante curta, seu início é fulminante, a perda de peso é muito rápida e motivadora.

• FASE 2: O CRUZEIRO – alternância de proteínas puras (PP) e de proteínas + legumes (PL)
Depois da primeira fase, em que você está em guerra contra seus quilos, segue-se a fase "de cruzeiro", ao longo da qual suas refeições serão compostas por proteínas em um dia e por proteínas + legumes no dia seguinte. Assim, você alcançará o peso escolhido: seu Peso Ideal.

• FASE 3: A CONSOLIDAÇÃO
Esta fase corresponde à introdução progressiva de alimentos, até os proibidos. Uma vez que o peso desejado é obtido, é importante evitar o efeito sanfona: depois de toda perda rápida, o corpo tende a recuperar os quilos perdidos de maneira extrema. Trata-se, então, de um período particularmente delicado, pois a dieta não chegou, de modo algum, ao fim. Será necessário permanecer em fase de consolidação durante dez dias por quilo perdido.

• FASE 4: A ESTABILIZAÇÃO
O período de estabilização definitiva é tão crucial quanto os demais, pois é decisivo para o êxito absoluto de sua dieta. Três medidas simples e essenciais deverão ser conservadas para o resto de sua vida, especialmente a "quinta-feira proteica", um dia para proteger os seis outros dias da semana.

Como você pode constatar, o Método Dukan cuida de você, para nunca mais abandoná-lo.

O Peso Ideal é um peso pessoal

Para determinar seu Peso Ideal, é necessária a opinião de um especialista fundamentada em todos os parâmetros que intervêm na escolha deste peso-meta. Para isso, deve-se considerar o peso máximo e o peso mínimo já pesados, assim como o peso conservado durante mais tempo em sua vida e o peso sonhado. Também é preciso levar em conta o sexo e a idade: cada década, após os 18 anos, aumenta o Peso Ideal das mulheres em 1 quilo e dos homens, em 1,2 quilo. Sua ossatura, se for espessa ou fina, também pode adicionar ou retirar 1 quilo de seu Peso Ideal. Finalmente, o número de regimes já seguidos e a hereditariedade familiar do sobrepeso também têm influência. Cada sobrepeso é único. Para fixá-lo e calculá-lo, utilize o questionário gratuito disponível no site **www.dietadukan.com.br**, em "Cálculo do Peso Ideal".

As quatro fases da dieta

FASE 1
O ataque com as proteínas puras (PP)
Este período é o mais motivador, pois você verá o ponteiro da balança descer com uma rapidez impressionante, um pouco como se estivesse em jejum. Este plano de ataque é uma verdadeira máquina de guerra.

Ao longo desta fase, você consumirá as proteínas mais puras possíveis, eliminando ao máximo todos os demais nutrientes. Na realidade, não é possível eliminar totalmente os carboidratos e lipídios de sua alimentação: à exceção da clara de ovo, não existe outro alimento exclusivamente proteico. Sua dieta será, assim, composta por um certo número de alimentos, cuja composição é a mais próxima possível da pureza das proteínas, como, por exemplo, certas categorias de carnes, peixes, frutos do mar, aves, ovos e laticínios com 0% de gordura.

Duração: este período pode durar entre um e sete dias, de acordo com o peso a ser perdido.

FASE 2
O cruzeiro com as proteínas alternativas ou proteínas + legumes (PL)
Esta segunda fase é indissociável da primeira, pois ambas funcionam juntas. Você alternará períodos de proteínas + legumes com dias de proteínas puras.

Tanto o primeiro quanto o segundo período oferecem total liberdade com relação às quantidades. Ambos permitem que os alimentos autorizados sejam consumidos "à vontade", a toda hora...

Mais tarde, veremos em que ritmo estes dois períodos devem ser alternados: isso dependerá do peso a ser perdido, de sua idade e também de sua motivação.

Duração: esta fase deve ser seguida sem pausas até a obtenção do Peso Ideal.

FASE 3
A consolidação do peso obtido

A missão essencial desta fase é abrir novamente a alimentação e estabilizar o peso. Você poderá se alimentar de maneira mais variada, devendo sempre evitar o efeito sanfona e o risco de recuperar o peso. Seu organismo tentará resistir, especialmente se a perda de peso for grande. Ele reagirá diante do desvio de suas reservas, tentando ganhar peso novamente: para tanto, reduzirá ao mínimo seus gastos de energia e assimilará todo alimento consumido o máximo possível. Uma refeição farta, que teria tido pouco efeito antes do início da dieta, terá sérias consequências ao longo deste período.

Por este motivo, as quantidades de alimentos mais ricos serão limitadas, a fim de que se atinja sem riscos o retorno à calmaria dos metabolismos e o fim do efeito sanfona, uma das causas mais frequentes de fracasso das dietas emagrecedoras.

Duração: está atrelada à quantidade de peso perdido e é calculada de maneira muito simples: dez dias de consolidação por quilo perdido.

FASE 4
A estabilização definitiva

Como já vimos, as pessoas que estiveram com sobrepeso sabem muito bem que, mesmo depois de um regime, não será possível atingir o equilíbrio nem realizar a medida alimentar que a maior parte dos nutricionistas, com razão, aconselha como garantia de preservação do peso perdido. Por isso, é importante supervisionar a pessoa que acaba de terminar a fase de consolidação, tendo em vista sua personalidade de antigo "gordo".

Nesta quarta fase, a dieta Dukan impõe um dia de proteínas puras por semana (geralmente, a quinta-feira).

Duração: tanto tempo quanto for possível; ou melhor, para o resto de sua vida... As poucas medidas da fase 4 permitirão que você coma de tudo, como todo mundo, sem nunca mais recuperar o peso.

Uma dieta rica em água

Uma vez que as proteínas, quando digeridas, liberam dejetos no organismo sob forma de ácido úrico, é importante beber, ao menos, 1 litro e meio de água por dia. Além disso, a água aumenta a eficácia desta dieta: emagrecer é queimar calorias e, também, eliminá-las. Como em qualquer combustão, a energia queimada ao longo de uma dieta cria dejetos, e é preciso eliminá-los. O fato de não beber pode frear sua perda de peso e também ser tóxico para seu organismo.

Uma dieta moderada em sal

A dieta Dukan é hidrófuga (elimina água) e, deste modo, luta eficazmente contra a retenção de líquidos. Uma alimentação muito salgada retém líquidos nos tecidos: não se esqueça de que 1 litro de água pesa 1 quilo, e que 9 gramas de sal têm a capacidade de reter 1 litro de água nos tecidos!

Os três fundamentos
inovadores e específicos da dieta Dukan

A dieta Dukan também se apoia em um alimento-chave: o farelo de aveia. Para mim, é o alimento que mais protege a saúde no mundo.

O farelo de aveia

O farelo de aveia melhora delicadamente o trânsito intestinal
Na natureza, há dois tipos de fibras: as solúveis (presentes na pectina da maçã ou no farelo de aveia) e as insolúveis. As fibras insolúveis, como as do farelo de trigo, podem ser muito irritantes para os intestinos frágeis. As fibras solúveis, ao contrário, são muito mais leves: transformam-se em uma espécie de gel e facilitam o trânsito, levando consigo uma pequena parte das calorias do alimento consumido. Quando absorvido todos os dias, o farelo de aveia pode ajudar a manter a forma: pequenas águas fazem grandes rios. Para as pessoas muito sensíveis e reativas, é possível consumir o farelo embebendo-o no leite durante meia hora, atenuando seu efeito.

O farelo de aveia sacia
O farelo incha no contato com a água e ocupa de vinte a trinta vezes seu volume no estômago. Assim, a barriga fica bem cheia e ocupada por mais tempo.

O farelo de aveia é emagrecedor
O farelo de aveia tem um poder extraordinário de confiscar calorias no intestino delgado e de eliminá-las junto às fezes. Este desperdício calórico não é muito grande, mas é renovável e se torna significativo a longo prazo. Além disso, o farelo de aveia otimiza sem violência o trânsito intestinal, que costuma ser moderado durante uma dieta.

O farelo de aveia reduz o nível de colesterol
Inúmeros estudos já demonstraram a importância das fibras com relação ao nível de colesterol. O farelo de aveia é, de longe, o que tem melhor impacto no nível sanguíneo de colesterol. Associado a uma alimentação

---

Como usar o farelo de aveia em função das fases?

- **Fase de ataque:**
1 colher e meia de sopa por dia.
- **Fase de cruzeiro:**
2 colheres de sopa por dia.
- **Fase de consolidação:**
2 colheres e meia de sopa por dia.
- **Fase de estabilização e para o resto da vida:**
3 colheres de sopa por dia.

O farelo de aveia é vendido a granel para a preparação de panquecas, mingaus e pães. Além disso, há produtos já preparados utilizando apenas o farelo de aveia como cereal: biscoitos, barras de cereal com farelo de aveia e até mesmo cereais para o café da manhã. Escolha um farelo de aveia orgânico e, se possível, com o índice M2bis-B6.

equilibrada, o farelo de aveia reduz o nível de colesterol de maneira significativa, e seu consumo é recomendado na prevenção de doenças cardiovasculares.

O farelo de aveia protege do diabetes
Diminuindo a rapidez da passagem dos açúcares rápidos no sangue, o farelo de aveia também reduz a secreção de insulina e a fadiga do pâncreas.

O farelo de aveia protege contra o câncer de cólon
Se consumido todos os dias e se for associado a uma boa hidratação, o farelo de aveia protege as paredes do intestino. Nosso intestino é um filtro, e este filtro pode ficar obstruído por motivos como poluição, alimentação desequilibrada, pesticidas, intolerâncias alimentares... Por isso, as paredes do intestino podem ficar irritadas. O farelo de aveia exerce um papel de esponja intestinal: absorve e limpa, na medida em que é consumido diariamente.

Nem todos os farelos de aveia têm o mesmo valor.
Existem dois tipos de farelo de aveia:
- o farelo de aveia de cozinha, usado para preparar doces, mingau, crepes ou pães com sete cereais;
- o farelo nutricional, que auxilia na saúde e na boa forma, cujas virtudes medicinais são obtidas por um modo de fabricação particular com base na moagem e na peneiração deste cereal. A moagem é a trituração do farelo e, assim, diminui suas partículas. A peneiração é o trabalho de separação do farelo da farinha de aveia. Uma moagem muito fina esteriliza o farelo e faz com que perca uma grande parte de sua eficácia. Do mesmo modo, um farelo muito grosso e insuficientemente moído perde sua superfície útil de viscosidade. O mesmo acontece com a peneiração: uma peneiração insuficiente não elimina suficientemente a farinha muito açucarada da aveia. Meus trabalhos pessoais sobre o desperdício calórico relacionado com farelo de aveia, juntamente com o trabalho de engenheiros agrônomos finlandeses, mostraram que a moagem ideal produz partículas de tamanho "médio-plus", ou seja, a M2bis. Quanto à peneiração, o ideal é o farelo da sexta passagem na peneira, o B6, o que lhe confere um teor negligenciável de carboidratos rápidos. A associação desta moagem e desta peneiração tem a classificação M2bis-B6, com o atestado das propriedades medicinais do farelo de aveia.

Onde encontrar o farelo de aveia?

Você pode encontrá-lo em lojas de produtos naturais ou orgânicos. Escolha o bruto, sem o gérmen. O farelo de aveia é um alimento barato, o que é raro em produtos de dieta.

E o farelo de trigo?

O farelo de trigo, diferentemente do farelo de aveia, é composto por fibras insolúveis, que em nada ajudam no emagrecimento, mas que podem auxiliar em casos de constipação. Sua textura e consistência podem deixar algumas receitas mais encorpadas. Você pode adicionar, em caso de constipação, 1 colher de farelo de trigo à sua dose diária de farelo de aveia.

Os aromas alimentares

Os aromas alimentares representam um conceito novo e de grande importância na luta contra o sobrepeso. Fiz muitas pesquisas sobre a fisiologia deste fenômeno, por ter implicações na sobrevivência das espécies. Todos os animais do mundo, inclusive os seres humanos, quando não são especialistas em nutrição, acreditam nas mensagens sensoriais liberadas pelos alimentos para que os reconheçam e para que se alimentem deles, adaptando o esforço necessário à sua colheita ou à sua captura de acordo com a atração ou a repulsão apresentada. Entres estas mensagens sensoriais, os odores e os sabores são os mais decisivos: nunca veremos um gato consumir um alimento sem cheirá-lo. A evolução das espécies costuma fazer com que se associem o cheiro e o sabor mais atraentes aos alimentos mais úteis à sobrevivência do animal. Por isso, o sabor do açúcar e da gordura são extremamente agradáveis e atrativos, pois são os mais energéticos. Atualmente, a descoberta e a fabricação dos aromas isolados do próprio alimento conseguem produzir a satisfação do gosto e do cheiro desse alimento sem as calorias que o acompanha.

É facilmente compreensível que estes aromas alimentares facilitam a perda de peso. Estes novos instrumentos abrem mais um caminho para minha dieta, com a possibilidade de associar a liberdade dos sabores à liberdade das quantidades.

Infelizmente, estes aromas ainda não são suficientemente bem distribuídos e, por enquanto, são encontrados apenas em alguns mercados e lojas especializadas em produtos para confeitaria.

Alguns exemplos dos aromas mais originais e utilizados
Alho, amarula, ameixa, aniz, bacon, banana, canela, champagne, erva-doce, groselha, maçã, panetone, pequi, pêssego, pizza, queijo, tutti-frutti, uva, erva, chocolate, amêndoa, manteiga, café, caramelo, groselha, cereja, limão, tangerina, morango, framboesa, maracujá, menta, mel, avelã, nozes, coco, laranja, baunilha... Tudo para se cozinhar com sabores e criatividade!

O konhaku

Trata-se de um alimento com origem na culinária do povo japonês, cujas mulheres dividem com as francesas o prêmio de maior magreza e longevidade do planeta.

O konhaku é a raiz de uma planta, semelhante a uma enorme beterraba e é utilizado no Japão há milhares de anos. Seu diferencial está no tipo de fibra que o compõe: o glucomanan. Graças ao glucomanan, o konhaku tem, como a pectina da maçã e os betaglucanos do farelo de aveia, um grande futuro. Suas fibras absorvem até cem vezes seu peso em água, formando um gel ultraviscoso, que enche o estômago e engana as gorduras e os açúcares. Mas a magia desta ação está no fato de ser praticamente não calórica! Não é apenas sem calorias, como também muito saciável. Por isso me interessei logo por este admirável auxiliar.

O konhaku se apresenta em diferentes formas (blocos, aletrias, pó...), mas as massas do konhaku, ou shiratakis, são, em minha opinião, o de melhor uso para um ocidental. Atualmente, é possível fabricar aletrias ou mesmo massas com bom nível de conservação. Estas massas, totalmente desprovidas de calorias, são preparadas exatamente da mesma maneira que as aletrias ou os espaguetes. Têm uma consistência muito agradável na boca, resistindo ligeiramente aos dentes, mas sem gosto particular. São, contudo, impregnadas pelo molho ou pela preparação que as acompanha. A preparação mais comum na dieta Dukan é a bolonhesa leve, com carne moída e molho de tomate caseiro ou industrial, mas sem açúcar e óleo.

Podemos consumir shiratakis na fase de ataque, reduzindo a quantidade de molho de tomate e conservando a quantidade de carne moída. Na fase de cruzeiro, podemos adicionar todos os tipos de legumes, como berinjelas, abobrinhas e tiras de pimentão... Na fase de consolidação, podem ser acompanhados por parmesão e, na fase de estabilização, com qualquer preparação.

Os shiratakis, ou massa de konhaku, representam um progresso sem precedentes na luta contra o sobrepeso. Há inúmeras receitas disponíveis e os pratos foram criados para divulgar o uso ainda muito restrito deste alimento.

Perguntas e respostas

Devo ser acompanhado por um médico durante a dieta Dukan?

Emagrecer é uma decisão séria e é recomendado que você converse com seu médico. Por quê? Porque ele o conhece e porque você confia nele. Ele dirá se você realmente precisa emagrecer e solicitará um pequeno balanço – um exame de sangue –, por três razões:

- para verificar se você não tem uma tireoide preguiçosa: se for o caso, você pode seguir qualquer dieta sem esperanças de emagrecer;
- para saber se você não tem uma doença renal séria: neste caso, será necessário reduzir a quantidade de proteínas e aumentar a de legumes;
- para controlar a existência de uma dislipidemia (excesso de colesterol ou de triglicerídeos), uma diabetes ou uma pré-diabetes: pelo prazer de vê-los diminuir com a dieta.

Confie em seu médico. Sua ajuda é bem-vinda, segura e preciosa.

Posso usar pós e barras de proteínas?

A maior parte das barras vendidas em estabelecimentos comerciais é rica em carboidratos e seu teor em proteínas é muito fraco para os parâmetros desta dieta. Quando não puder cozinhar, opte por alimentos fáceis de comer, como o presunto de frango, o peru ou kanis. Você também pode encher sua geladeira de queijo branco e de iogurtes com 0% de gordura.

Já são comercializadas barras compatíveis com a dieta Dukan, sem adição de açúcar e gordura, com base exclusiva de farelo de aveia. Elas foram criadas especialmente para as refeições rápidas autorizadas na dieta.

No Método Dukan não está autorizado o uso isolado de proteínas em pó, pois não são alimentos, mas produtos de síntese industrial, cujo uso vai contra a natureza ao substituir uma refeição. Contudo, pode-se utilizá-las para enriquecer o teor de proteínas de pratos ou sobremesas.

Como conciliar dieta e colesterol?

Deve-se, simplesmente, dar atenção particular aos ovos. Se seu colesterol não é ameaçador, você tem direito a um ovo inteiro por dia. Se seu nível de colesterol for um pouco elevado, use apenas as claras do ovo para cozinhar. Neste caso, faça sua panqueca de aveia (ver receita na página 44) apenas com a clara. À exceção disso, consuma quantas claras de ovo quiser e limite as gemas a quatro por semana.

Tenho tendência a pular refeições; isso ajuda a acelerar minha dieta?

Muito pelo contrário: nunca se deve pular uma refeição. Este é o tipo de ação contraprodutiva a ser absolutamente evitada. Se você tiver pulado o almoço, por exemplo, há grandes chances de que tenha fome novamente por volta das 17 horas, quando, sem dúvidas, terá vontade de se entregar a uma barra de chocolate. Imaginemos, contudo, que consiga se segurar até o jantar. Você, inevitavelmente, comerá mais e escolherá alimentos mais gratificantes – amidos, pães, produtos gordurosos... E é seu próprio corpo que vai penalizá-lo, aproveitando-se do que lhe está sendo dado. Comendo em todas as refeições, o corpo tira um proveito razoável dos alimentos. Imaginemos que tire proveito de 70% a 75%. Se tiver pulado o almoço, você não apenas comerá bem mais na refeição seguinte, como seu corpo aproveitará 95% do que lhe foi dado. No final das contas, neste sentido, você é quem sai perdendo.

Resumindo...
O Método Dukan em 12 pontos-chave

❶ Eficácia
Não conheço ninguém que tenha seguido o método com motivação e confiança e não tenha emagrecido, obtendo seu **Peso Ideal**, consolidando-o e estabilizando-o.

❷ Rapidez de ação
Seu início, desde o ataque, é **fulminante** e apto a manter ou até mesmo aumentar a motivação.

❸ Simplicidade
Cem **alimentos**, 72 **proteínas**, 28 **legumes**.

❹ Ausência de fome
Os cem alimentos vêm junto com a indicação "**à vontade**".

❺ Uma estrutura forte, dividida em quatro fases
Um enquadramento preciso no qual se apoiar, um diário de bordo não negociável e difícil de ser transgredido.

❻ O Peso Ideal de cada um
Este conceito ajuda a cada pessoa com sobrepeso e disposta a emagrecer a calcular seu **Peso Ideal** e certo. Um peso "**atingível e conservável**".

❼ Um método natural
Os cem alimentos de meu método são **fundamentalmente humanos**, são os das origens, os do caçador e coletor.

❽ Contrato de estabilização
Três medidas simples, **concretas, prescritas para toda a vida.**

❾ Plano didático
Emagrecer aprendendo a emagrecer, por adoção instintiva da importância dos alimentos em função de sua introdução.

❿ Conceito da AFPEA
"**Atividade física prescrita em atestado**": uma maneira radicalmente nova de prescrever o segundo motor do emagrecimento.

⓫ Extensão do método ao indivíduo
Um plano de emagrecimento tem **chances muito maiores de sucesso** quando são consideradas as informações do cliente. Com a internet, isto agora é possível (ver p. 142).

⓬ Extensão do método ao acompanhamento do programa on-line
O acompanhamento, **dia após dia**, **quilo após quilo**, está finalmente na internet. O método se torna interativo, por meio do diálogo sobre as instruções da manhã e do relatório à noite (ver p. 143).

Fase 1: **o ataque**

A fase das proteínas puras é fulminante. Seguindo-a, você estará no comando de uma máquina de guerra capaz de esmagar todas as resistências em sua passagem. Suba a bordo!

Os objetivos
da fase 1

Uma única instrução a seguir: o que é autorizado pode ser consumido à vontade

Nas próximas páginas, você encontrará uma lista de alimentos autorizados (ver p. 40). Eles estão à sua disposição, você poderá consumi-los à vontade. Quanto aos demais, esqueça-os por enquanto.

Beba ao menos 1 litro e meio de água por dia. Quanto mais beber, maior será a sensação de estar "cheio" e, você será mais rapidamente saciado. Você também vai urinar muito, pois, por não ter o hábito de ingerir tanta água, seus rins serão obrigados a abrir as válvulas e eliminar água. Você vai rapidamente sentir uma grande leveza: seu rosto ficará mais fino, seus anéis vão deslizar por seus dedos desinchados!

A direção dos três primeiros dias

A dieta de ataque trabalha o efeito-surpresa: o corpo deverá se adaptar a uma nova alimentação.

• O primeiro dia da dieta de ataque

Este é um dia de adaptação e combate. Claro, ele abre a porta a inúmeras categorias de alimentos usuais e saborosos, mas a fecha para muitas outras que você tem o hábito de consumir. Para começar sua dieta, escolha, de preferência, um dia em que possa descansar e estar livre para se alimentar como bem entender: o começo de um fim de semana pode ser ideal. Cabe a você decidir de acordo com o ritmo de sua semana.

A sensação de restrição será muito forte durante os três primeiros dias. Para atenuá-la e seguir as orientações, encha sua geladeira de alimentos autorizados. Assim, você poderá aproveitar plenamente as possibilidades da dieta que, pela primeira vez, lhe permite comer "à vontade" alimentos densos e apetitosos, como carne de boi ou vitela e peixe de qualquer tipo, inclusive salmão defumado, atum em lata, arenque, kani... Além de ostras, lagostins, ovos mexidos, a infinita gama de laticínios com baixo teor de gordura e presuntos sem gordura, sem esquecer os flãs de creme de leite desnatado... Não lhe faltarão opções! No primeiro dia, coma bastante. Substitua as qualidades que faltam pela quantidade.

- **O segundo dia**

Um ligeiro cansaço pode ser sentido durante os dois primeiros dias, com uma ínfima resistência a todos os esforços mais prolongados. Seu corpo foi "pego de surpresa" ao longo da dieta de ataque, queimando sem contar e sem resistir. Não é, portanto, o momento de impor-lhe gastos intensos. Evite exercícios violentos e esportes extremos durante este período.

- **A partir do terceiro dia**

O cansaço cessa e costuma dar lugar a uma impressão de euforia e dinamismo, que reforçam ainda mais as mensagens encorajadoras anunciadas pela balança. A fome desaparece e esse desaparecimento surpreendente está relacionado com a liberação crescente dos famosos corpos cetônicos, o mais poderoso moderador natural de apetite. A liberação também pode ser decorrente de um tédio por parte dos que não gostam de carne e peixe: a monotonia tem um efeito bem marcado sobre o apetite. As fomes fora de hora e as compulsões por açúcar desaparecem depois do terceiro dia.

Uma perda de peso decisiva

Verdadeiro desbloqueio psicológico e surpresa metabólica, a fase de ataque deve fazer com que você perca bem e rápido o máximo de peso possível durante esta curta duração. Até você ficará surpreso.

Remediando a constipação

A constipação resulta do fato de os alimentos proteicos conterem pouca fibra. Compre farelo de aveia e o coloque no iogurte. Ao fim de uma grande refeição, você também pode consumir uma colher de sopa de óleo mineral (vendido em farmácias). E, principalmente, beba o máximo de água que puder, pois além de ser conhecida por nos fazer urinar, a água também hidrata e amolece as fezes, melhora o rendimento de contrações e facilita o trânsito intestinal.

A sensação de boca seca

Hálito forte, sensação de boca seca: estes são sintomas específicos de toda dieta emagrecedora e serão mais marcados aqui do que em regimes de postura mais progressiva. Estes sintomas indicam que você está emagrecendo e que deve acolher tais mensagens de sucesso com satisfação. Para atenuá-los, beba mais água e masque chicletes sem açúcar.

Três refeições por dia

Mesmo que o princípio da dieta se baseie na possibilidade de alimentar-se à vontade dentro da lista indicada, é importante conservar um ritmo geral normal, composto por três refeições. Antes de mais nada, se pular alguma refeição, seu organismo vai "se vingar" na próxima: você correria o risco de não resistir a alimentos não autorizados, e seu corpo, que por essência não gosta de frustração, armazenará ainda mais os alimentos que lhe forem propostos.

Verifique seu peso!

Pese-se com frequência ao longo da fase de ataque, isto fará com que a motivação esteja sempre presente: de hora em hora, você constatará que o ponteiro da balança desce cada vez mais. A balança é sua amiga e o encorajará durante a fase de ataque, ajudando-o a permanecer vigilante durante as fases de consolidação e estabilização.

As regras
da fase 1

Quanto tempo?

A dieta de ataque será composta por proteínas puras e sua duração varia de acordo com sua idade, o peso que você tem a perder e o número de dietas que fez anteriormente. Veja, a seguir, algumas dicas para ajudá-lo a traçar claramente seu objetivo e ter êxito em sua dieta.

- **Para uma perda de menos de 5 quilos**

Recomenda-se evitar um começo muito fulminante: um único dia é o suficiente. Este primeiro dia, chamado "dia de abertura", tem um efeito de ruptura admirável para o organismo e torna possível uma perda de peso que surpreende e encoraja no começo da dieta.

- **Para uma perda de menos de 10 quilos**

Proponho começar a dieta com um ataque de três dias, o que lhe permite passar sem esforços à fase de proteínas em alternância com legumes.

- **Para uma perda de 10 a 20 quilos**

A duração da dieta de ataque é de cinco dias, tempo que viabiliza os melhores resultados sem desenvolvimento de resistência metabólica ou cansaço daquele que a pratica. É a duração mais comum desta fase.

- **Para uma perda de mais de 20 quilos**

Para obesidades maiores, quando a perda ultrapassa os 20 quilos, é possível levar a fase de proteínas puras para até sete dias. Você também pode seguir esta indicação (depois de ter consultado seu médico) se tiver seguido muitas dietas. Seu organismo corre o risco de sofrer um efeito recalcitrante. Neste caso, é imprescindível beber ao menos 1 litro e meio de água por dia.

Como resistir à fase de ataque?

• Leia e releia atenciosamente a lista de alimentos autorizados, faça uma lista de compras com os que preferir. Atenha-se apenas a esta lista. Siga a instrução que se resume em duas linhas: carnes magras, peixes e frutos do mar, aves, presuntos light, tofu, ovos, laticínios magros e água.
• Coma sempre que desejar, a dieta autoriza a livre quantidade. Aproveite!
• Nunca pule refeições, pois este é um erro grave: você comeria mais na refeição seguinte ou, pior ainda, acabaria não resistindo a alimentos proibidos, e seu corpo o faria pagar caro por esta restrição suplementar.
• Beba muita água, a cada vez que comer. Para uma boa eliminação de líquido, você deve beber ao menos 1 litro e meio de água por dia. A água também o ajudará a sentir-se saciado.
• Encha sua geladeira! Se faltarem proteínas e você sentir fome, acabará não resistindo a um alimento proibido. Por isso, faça compras regularmente, a fim de não dar espaço à privação.

Quais serão os momentos difíceis?

Os três primeiros dias podem ser uma etapa delicada, pois seu corpo deve habituar-se a um novo modo de alimentação.

Você deverá superar a fome, que acaba a partir do terceiro dia; você poderá se sentir constipado, mas tudo voltará rapidamente à ordem graças ao farelo de aveia.

Ao longo destes três primeiros dias, a fome de sabores açucarados pode ser intensa. Mantenha-se firme, três dias não são o fim do mundo. Se conseguir atravessá-los, a fome, assim como a vontade de ingerir açúcar, passará com a evolução de sua dieta.

Caminhe!

Não se esqueça de caminhar 20 minutos por dia. Não é apenas um conselho, é um acordo recíproco que você deve cumprir ao longo da fase de ataque, pois isto fará com que a motivação esteja sempre presente: de hora em hora, você constatará que o ponteiro da balança desce cada vez mais. A balança é sua amiga e o encorajará durante a fase de ataque, ajudando-o a permanecer vigilante durante as fases de consolidação e estabilização.

As proteínas puras

O que são?

Entre os alimentos que consumimos, apenas a clara do ovo é composta por proteínas praticamente puras. Há, no entanto, um certo número de alimentos que se aproximam da perfeição que buscamos. Por isso, na lista de alimentos autorizados ao longo da fase 1, você encontrará as seguintes proteínas, extremamente ricas em proteínas puras:

- carne de boi (com exceção da costela, assim como todos os cortes para o preparo do cozido);
- filé mignon;
- aves (com exceção do pato e do ganso);
- peixes;
- crustáceos e moluscos;
- ovos;
- laticínios magros;
- proteínas vegetais: tofu, seitan.

A lei do tudo ou nada

A eficácia da fase 1 está inteiramente atrelada à seleção dos alimentos: a dieta será fulminante à medida que a alimentação for limitada a esta categoria de alimentos. Mas cuidado: se não respeitar as instruções ao pé da letra, sua dieta será mais demorada ou até mesmo bloqueada e impossibilitada. Sendo assim, nenhum extra deve ser autorizado: um pequeno pedaço de chocolate depois de um bife grelhado pode lhe parecer inofensivo, mas, para o seu organismo, tudo muda – o princípio da dieta, como já explicamos, é baseado no fato de que seu corpo vai digerir apenas proteínas. Se você introduzir açúcares ou lipídios, o jejum proteico estará fadado ao fracasso.

Deste modo, é impossível fazer a dieta pela metade. A dieta Dukan responde à lei do tudo ou nada: sua eficácia metabólica estaria em jogo se você decidisse praticá-la apenas "um pouco".

Contudo, se você respeitar a fundo esta palavra de ordem única, a dieta levará seu corpo a:

- queimar calorias para digerir as proteínas;
- digerir mais lentamente os alimentos proteicos;
- buscar rapidamente suas reservas, sem diminuir sua musculatura ou seu esqueleto;
- eliminar a celulite;
- combater o edema e a retenção de líquidos;
- reduzir o apetite.

Força, esta etapa não é muito longa: vá fundo!

Uma dieta ideal contra a retenção de líquidos

Você também pode usar a fase de proteínas puras se, durante sua vida, sentir que os quilos começam a ganhá-lo aos poucos. Dois ou três dias de proteínas puras são capazes de colocar seu corpo novamente no bom caminho. Esta observação é especialmente dedicada às mulheres que se sentem "inchadas" ao fim da menstruação, ou àquelas que, aos 50 anos, veem seu corpo se transformar, mesmo que não comam mais que o normal. Na verdade, para a mulher, o mecanismo de ganho de peso é mais complexo que para o homem, pois está constantemente vinculado à retenção de líquidos. Alguns dias de proteínas puras farão com que você não se sinta mais "balofa": esta fase da dieta combate eficazmente as pernas pesadas, os dedos inchados... Além do que mostra a balança, você realmente sentirá a boa forma: sua silhueta será transformada.

Ao longo de toda a sua vida, depois de seguir a dieta, você irá desfrutar dos benefícios da fase 1 graças às Quintas-feiras Proteicas, instauradas na fase de consolidação.

O ganho de peso na menopausa

É evidente que a menopausa é um período muito delicado na vida de uma mulher em matéria de peso, mas não desanime. É importante agir assim que os primeiros quilos forem notados. Neste caso, uma Quinta-feira Proteica por semana, ou duas vezes a cada 15 dias são o suficiente para mantê-la no Peso Ideal. Quanto aos outros dias da semana, evite beber água demais e não consuma muito sal, a fim de limitar a retenção de líquidos. Descarte os pratos industrializados já prontos, que, sozinhos, trazem 90% do sal que podemos consumir!

Os 72 alimentos
autorizados na fase de ataque

Tenha sempre à mão ou na geladeira várias opções de alimentos que vão se tornar seus amigos e seus alimentos-fetiche. Leve-os consigo para onde for, pois a maior parte dos alimentos proteicos necessita de preparação e, diferentemente dos carboidratos e lipídios, conservam-se bem menos e não são facilmente encontrados, como biscoitos ou chocolates, nos supermercados e nas despensas.

Antes de consumir um alimento, tenha a certeza de que ele está na lista da página 40. Não deixe faltar os alimentos necessários à sua dieta. Para estar certo do que comer, guarde a lista consigo durante a primeira semana, ela é simples e se resume em duas linhas: carnes magras e abates, peixes e frutos do mar, aves, presuntos light e ovos, laticínios e bebidas.

As carnes magras
• **O boi**
Todos os pedaços para assar ou grelhar são autorizados, especialmente o bife, o filé, o contrafilé, o rosbife, os cortes especiais.

• **O hambúrguer**
Cru, preparações em tartár ou em carpaccio, sem óleo. Podem ser preparados em forma de almôndegas com a liga do ovo, de ervas ou alcaparras, e cozidos no forno.

O hambúrguer congelado é autorizado, mas tome cuidado para que seu teor de gorduras não ultrapasse 10%. O de 15% é muito gorduroso para o período de ataque.

• **O filé mignon**
Os cortes aconselhados são o escalope e o assado. A costela de vitela é autorizada, desde que se tire a camada de gordura que a envolve.

Como preparar a carne?

A preparação das carnes deve ser feita sem uso de gorduras, sem manteiga, sem óleo ou creme de leite, mesmo aqueles com baixo teor de gordura. O cozimento aconselhado é o grelhado, mas as carnes também podem ser assadas no forno, preparadas em papelote ou até mesmo cozidas. O grau de cozimento fica a gosto de cada um, mas é preciso saber que o cozimento desengordura progressivamente a carne, aproximando-a do ideal de proteína pura preconizado por esta dieta. Não deixe de utilizar condimentos para evitar uma certa monotonia.

• O coelho
Carne magra que pode ser consumida assada ou cozida na mostarda e com requeijão cremoso 0% de gordura.

Os miúdos

Você poderá consumir a língua de vitela e de cordeiro, assim como o fígado. Este último contém inúmeras vitaminas, extremamente úteis ao longo da dieta emagrecedora. Contudo, cuidado com o colesterol: deve ser consumido com moderação por aqueles com taxas superiores à indicada.

Os peixes

Para esta família de alimentos, não há qualquer restrição ou limitação. Todos os peixes são autorizados, sejam gordurosos ou magros, brancos ou azuis, frescos ou congelados, em conserva ou sem óleo, defumados ou secos.

• **Todos os peixes gordurosos e azuis**
São todos autorizados, em especial a sardinha, o carapau, o atum, o salmão...

• **Os peixes defumados**
O salmão defumado, ainda que gorduroso e reluzente, não é mais gorduroso que um bife de 10% de gordura. O mesmo acontece com a truta defumada, com a enguia e o arenque.

• **Os peixes em conserva**
Muito úteis em caso de refeição rápida, são autorizados quando conservados ao natural, como o atum, o salmão, o carapau ao vinho branco, e consumidos sem molho.

• **O kani**
Preparação à base de peixe branco extremamente magro. É perfeitamente autorizado, pois é de uso prático e fácil de se transportar.

Como preparar o peixe?

O peixe deve ser preparado sem adição de gorduras. Regue-o com limão e salpique-o com condimentos, leve-o ao forno recheado com ervas. Você também pode cozinhá-lo ao vapor ou, melhor ainda, em papelote, para conservar integralmente seu molho de cozimento.

Os frutos do mar
Camarões cinzas e rosas, gambas, caranguejos, moluscos, lagostas, lagostins, ostras, mexilhões, vieiras: todos podem ser consumidos à vontade e darão um ar de festa à sua dieta.

As aves
Todas as aves são autorizadas, à exceção das aves de bico chato, como o pato e o ganso. Cuidado: não consuma a pele.

• **O frango**
Entre suas diversas partes, a mais magra é o peito, antes da coxa e da asa.

• **O peru**
Sob todas as formas, em escalope na frigideira ou a coxa assada no forno, com bastante alho.

Os presuntos sem gordura e sem pele
Sem gordura, sem pele e com baixo teor de gordura. Sob esta forma, você pode optar por porco ou peru, pois ambos contêm apenas de 2% a 4% de gordura. São providenciais para um almoço rápido.

Os ovos

• **Os ovos inteiros**
Podem ser consumidos cozidos, mole, em forma de omelete ou ainda mexidos em uma frigideira de silicone, ou seja, sem adição de óleo ou manteiga.

• **Apenas a clara**
Os ovos são ricos em colesterol, e seu consumo excessivo é desaconselhado para quem apresenta um nível elevado de colesterol no sangue. Aconselha-se limitar seu consumo a três ou quatro gemas por semana, enquanto a clara, proteína pura por excelência, pode ser usada sem qualquer restrição. Nestes casos, também pode ser útil para preparar omeletes e ovos mexidos, usando uma gema para duas claras.

As proteínas vegetais

Oferecem uma gama de escolha complementar de orientação vegetariana. As proteínas vegetais escolhidas têm origem na soja e no trigo:

• **O tofu**
É encontrado em forma de tofu firme, para receitas de entrada, de sopas ou pratos, ou de tofu cremoso, ideal para mousses, doces, quiches feitos com farelo de aveia, ou ainda como ingrediente para molhos leves.

• **O seitan ou "carne vegetal"**
O equivalente do tofu, mas fabricado a partir de proteínas do trigo, ideal para refogados, pratos recheados, no espeto ou em fricassês.

Os laticínios magros

• **Os laticínios naturais com 0% de gordura**
Iogurte, queijo branco, cottage, requeijão 0% de gordura... Você poderá consumi-los à vontade.

• **Os iogurtes de fruta, mas sem açúcar**
São tolerados na fase 1, mas é melhor evitá-los. O ideal, na fase de ataque, é não consumi-los, mas um ou dois podem ser tolerados.

O que beber?

Todo e qualquer tipo de água está autorizado, especialmente as de fonte ligeiramente diurética.

Se você não gosta de água sem gás, pode beber, sem problemas, água mineral gaseificada, pois o gás não apresenta qualquer inconveniente para esta dieta. Evite, contudo, água muito salgada. Um copo, se lhe for irresistível, mas não mais que isto.

Você pode também beber refrigerantes Zero.

Pense em beber também as águas aromatizadas com gosto de fruta sem açúcar, que podem lhe trazer sabores dos quais você sente falta. Beba também chás e infusões.

Os adoçantes

O açúcar está proibido, mas os adoçantes são autorizados. Eis os mais comuns:

• o **aspartame**, utilizado há mais de vinte anos por mais de 1 bilhão de indivíduos em todo o planeta, sem que qualquer incidente tenha sido registrado. O aspartame em pó perde uma parte de seu poder edulcorante quando esquentado a altas temperaturas.

• o **esteviosídeo**, mais apto a preparações frias ou levemente quentes, em particular para receitas com frutas. Os outros adoçantes variam de acordo com o país. Na França, ciclamato, sacarina, sucralose são autorizados pelas autoridades sanitárias e sua escolha deve ser orientada pelas qualidades de uso: são mais interessantes para sobremesas e cozimentos intensos, especialmente para doces levados ao forno. Para responder aos princípios de precaução, pode ser interessante utilizar uma gama variada de adoçantes, o que faz com que não se acumule um uso prolongado de um único produto.

• **O leite desnatado**
Fresco ou em pó, é autorizado e pode melhorar o sabor ou a consistência do chá ou do café. Pode ser utilizado no preparo de molhos, cremes, pudins ou outros.

As bebidas

É absolutamente indispensável beber ao menos 1 litro e meio de líquido por dia ao longo de sua dieta. Isto não é uma recomendação, mas uma obrigação. A quantidade não é negociável, por duas razões:

• Quando o organismo digere as proteínas, estas liberam, sob a forma de ureia, uma grande quantidade de dejetos em seu corpo. Para eliminar tais dejetos, é indispensável beber o suficiente.
• Ao longo da dieta, seu organismo eliminará as gorduras armazenadas. A água ajudará seu corpo nesta operação. Ao beber líquido abundantemente, você efetua uma drenagem intensa.

Seu emagrecimento, mesmo que perfeitamente conduzido, não será concluído se não beber bastante líquido: os dejetos oriundos da combustão de gorduras vão se acumular, em vez de serem eliminados.

Os temperos e condimentos

Na página 43, você encontrará a lista de condimentos que podem ser utilizados.

• **O sal**
É autorizado, mas seu uso deve permanecer moderado, principalmente para quem sofre de retenção de líquidos. Se estiver na fase da menopausa ou pré-menopausa, evite-o ou privilegie os sais dietéticos, com pouco iodo.

• **O óleo**
Mesmo que certos óleos, como o azeite, tenham a reputação justificada de serem favoráveis ao coração e às artérias, eles não deixam de ser óleos e lipídios, que não têm lugar nesta dieta de proteínas puras (com exceção de uma colher de café no molho vinagrete, a partir da fase de cruzeiro). Contudo, o óleo mineral é tolerado para a preparação de vinagretes. Este óleo não deve ser levado ao fogo. Utilize-o em pequena quantidade e misturado com água gaseificada, o que o tornará mais

leve e reduzirá seu elevado poder gorduroso: muito lubrificante, o óleo mineral corre o risco de acelerar bastante o trânsito intestinal. Prepare seu vinagrete com a seguinte mistura: uma dose de óleo mineral + uma dose de água gaseificada + uma dose de mostarda + uma ou duas doses de vinagre.

- **O vinagre**
Está particularmente presente nesta dieta. Dê preferência aos vinagres fortes em gosto, como o balsâmico e o xerez, evitando os mais baratos. Há vinagres balsâmicos baratos que contêm caramelo e, logo, muitos açúcares...

- **O suco de limão**
Pode ser usado para dar gosto aos peixes e frutos do mar, mas não pode ser consumido sob forma de limão espremido ou limonada, mesmo sem açúcar, pois, deste modo, não se trata mais de um condimento, mas de uma fruta – bastante ácida, certamente, porém açucarada e não compatível com as proteínas puras.

- **A mostarda**
Deve ser consumida com moderação durante esta fase de ataque. Se você sofre de retenção de líquidos, existem mostardas sem sal.

- **Os picles e as cebolas**
São permitidos e utilizados como condimentos, mas saem do âmbito da dieta de proteínas puras se as quantidades utilizadas forem grandes a ponto de serem considerados acompanhamentos. Cuidado para não abusar durante o aperitivo ou no restaurante...

- **O ketchup normal**
Não é autorizado, pois é, ao mesmo tempo, muito açucarado e muito salgado, mas há ketchups sem açúcar que podem ser utilizados em quantidades moderadas.

Os condimentos e especiarias

Tomilho, alho, salsa, chalota, cebolinha... Assim como todos os condimentos, não são apenas autorizados, como também fortemente aconselhados, pois seu uso enriquece o sabor dos alimentos consumidos. Com os alimentos mais saborosos, você se sentirá mais saciado e satisfeito.

O que comer na fase 1?

Carnes

Autorizadas
Alcatra
Bife bovino
Coelho
Contrafilé
Costela de vitela
Escalope de vitela
Filé mignon
Picanha (sem a camada de gordura)
Rosbife

Proibidas
Cordeiro
Costela bovina
Porco

Miúdos

Autorizados
Coração de frango
Fígado de bezerro
Fígado de boi
Fígado de galinha
Língua de boi
Moela de galinha

Proibidos
Base (muito gordurosa) da língua de boi

Embutidos

Autorizadas
Carne seca/Bresaola
Peito de peru ou peito de frango
Presunto magro ou light

Proibidas
Presunto com gordura

Peixes

Autorizados
Atum/Atum ao natural
Bacalhau
Bacalhau fresco
Badejo
Bonito
Cavala
Dourado
Hadoque ou hadoque defumado
Kani ou surimi
Linguado
Merluza
Pacu
Peixe espada
Pescada
Pintado
Raia
Salmão – Salmão defumado
Sardinha
Tilápia
Truta
Vermelho – Trilha

Proibidos
Atum com óleo
Sardinha com óleo

FASE 1 | **O ATAQUE** 41

Frutos do mar

Autorizados
Camarão
Camarão cinza
Caranguejo/Siri
Lagosta
Lagosta espinhosa
Lagostinha
Lula
Mexilhões
Ostra
Polvo Vieira

Aves

Autorizadas
Codorna
Frango
Galeto/Franguinho
Galinha-d'angola
Peru

Proibidas
Asa de frango
Ganso
Pato
Pele de frango

Proteínas vegetais

Autorizadas
Hambúrguer de soja
Seitan (carne de glúten)
Tofu

Ovos

Autorizados
Ovo de codorna
Ovo de galinha

Farelo de aveia e trigo

Autorizados
1 colher de sopa de farelo de trigo (facultativo)
1 colher e meia de sopa por dia de farelo de aveia

Laticínios

Autorizados
Iogurte Paulista ou Molico 0% gordura
Leite desnatado 0% de gordura
Queijo cottage 0% gordura
Queijo frescal Frescatino 0% gordura
Requeijão Danubio 0% gordura

Proibidos
Laticínios integrais
Queijos

Konhaku

Autorizados
Macarrão de konhaku

O que comer na fase 1?

Condimentos

Autorizados
Adoçantes
Ágar-ágar
Alecrim
Algas marinhas
Alho
Anis
Aromas ou essências
Açafrão
Baunilha (fava ou em pó sem açúcar)
Caldo em cubo ou pó 0% de gordura
Canela
Cardamomo
Cebola seca
Cerefólio
Coentro
Cominho
Cravo
Cúrcuma
Estragão
Gengibre
Ketchup light
Maionese Dukan
Manjericão
Noz-moscada
Pimenta
Pimenta-do-reino
Páprica
Pó picante
Raiz-forte

Sal
Salsa
Vinagre
Vinagrete Dukan
Óleo mineral

Tolerados
em quantidade moderada, unicamente para temperar um prato proteico
Cebola fresca
Creme de leite light
Gergelim
Limão
Molho de soja light
Molho de tomate e tomates em lata (extrato e tomates moídos)
Mostarda
Picles

Proibidos
Azeitona
Açúcar
Caldo em cubo ou pó com gordura
Ketchup
Maionese
Óleos (de canola, girassol, milho, azeite, avelã...)

O café da manhã

O que tomar no café da manhã durante a fase 1?
Você pode escolher livremente dentro desta lista e preparar um café da manhã a seu gosto.

BEBIDAS	CREPES
Café	Panqueca de farelo de trigo (1 colher e meia de sopa, no máximo)
Leite desnatado	
Chá	**CARNES E OVOS**
Infusão	Presunto de frango sem gordura
Chicória	Presunto sem gordura
LATICÍNIOS	Bresaola
Requeijão cremoso 0% de gordura	Presunto ou peito de peru light
Iogurtes com 0% de gordura	Ovos mexidos
Queijo frescal 0% de gordura	Cozidos (com fatias de peito de frango), omelete

Caso não consiga comer pela manhã, ao acordar
Não pule refeições de forma alguma: beba uma bebida quente, espere uma hora, depois tome seu café da manhã.

Como se privar do pão?
Como você já deve ter compreendido, o café da manhã não pode, em caso algum, ser exceção à lista de alimentos autorizados. Por isso, você não verá doces, pães e bolos aqui. Você encontrará, todavia, tudo para ficar plenamente satisfeito, pois poderá consumir laticínios desnatados à vontade, aos quais poderá adicionar aspartame, ovos cozidos ou ainda uma fatia de peito de peru light. Você terá a sensação de um café da manhã bastante completo, um pouco como se comesse um *brunch* à inglesa todas as manhãs!

Além disso, o menu proposto é bem mais equilibrado e energético do que um café da manhã tradicional, composto por pães, cereais matinais de flocos de milho e achocolatados...

Receita de panqueca de aveia

INGREDIENTES
- 1 colher de sopa de farelo de trigo
- 2 colheres de sopa de farelo de aveia (a partir da fase de cruzeiro; em fase de ataque, utilize apenas 1 colher e meia)
- 1 ovo ou apenas 1 clara
- 1 colher de sopa de requeijão cremoso 0% de gordura.

Misture o farelo de trigo, o farelo de aveia, a clara do ovo (ou o ovo inteiro, de acordo com seu apetite e seu nível de colesterol) e o requeijão cremoso. Misture todos os ingredientes, depois cozinhe a panqueca em uma frigideira antiaderente, sem adição de gordura. Se sua frigideira não for antiaderente, você pode, em último caso, adicionar uma gota de óleo, com a ajuda de um papel-toalha, sobre toda a superfície.

A panqueca de farelo de aveia

Para alguns de meus pacientes, a manhã é o momento do dia em que sentem mais dificuldade de se privar do sabor do pão. Outros reclamam de prisão de ventre. Para atenuar esses desacordos, e para quem não consegue ficar sem o gosto dos cereais, para quem tem prisão de ventre e para quem come bastante, criei uma receita de panqueca que pode ser consumida na dieta das proteínas.

Tudo começou quando minha filha quis seguir meu método. Ela tinha muita fome durante toda a manhã e sentia dificuldade em ficar sem comer até o almoço. Perguntou-me, então, o que poderia comer de manhã para "acalmar" seu estômago. Olhei na despensa e improvisei uma panqueca de farelo de aveia que tinha trazido dos Estados Unidos. Minha filha achou a panqueca excelente e nutritiva. Melhorei a receita e sistematizei a utilização do farelo de aveia em meu método. Esta panqueca é repleta de fibras solúveis. Inúmeras pesquisas recentes provaram que as fibras solúveis, quando impregnadas de água, formam um gel no tubo digestivo. Os nutrientes são "enganados" e algumas calorias são levadas com o gel na eliminação das fezes.

Desde então, com a ajuda e a criatividade do grupo de seguidores da dieta Dukan, novas receitas abrem um leque de escolhas e permitem mais variedade: muffins, pães, tortas, crepes, doces Dukan... E certos produtos, como os biscoitos e as barras, agora estão disponíveis em supermercados e farmácias.

Aproveite o efeito "queima de gorduras" da manhã

Quando o organismo não está alimentado, começa a buscar energia nas células adiposas. É o que acontece de manhã, quando você está em jejum. Este processo se chama lipólise e começa especialmente durante a madrugada, quando as reservas de açúcar estão esgotadas. O processo é interrompido assim que lhe damos energia, ao tomar o café da manhã. Duas ideias para aproveitar melhor esta fase de "queima de gorduras" natural:

• Se não estiver muito cansado, faça exercícios físicos assim que acordar, antes de tomar o café da manhã, quando o organismo ataca diretamente a celulite.
• Tome seu café da manhã respeitando totalmente as indicações da fase 1: uma bebida quente e proteínas, que não bloqueiem o processo e tornam possível que este dure o dia inteiro.

O almoço

O que comer no almoço durante a fase 1?

Você poderá preparar suas entradas, seus pratos e suas sobremesas a partir dos 72 alimentos proteicos apresentados na página 40. Coma-os à vontade! Você também encontrará ideias de cardápios para uma semana na página 50. Não se esqueça de ingerir bastante líquido durante as refeições. Você poderá preparar um chá verde para acompanhar as refeições, uma garrafa de água gaseificada... Os refrigerantes Zero também são autorizados. Os condimentos e ervas são importantes para variar sua alimentação. Cuide da apresentação: um prato é sempre mais apetitoso quando bem apresentado. Para temperar carnes e ovos, vá até as páginas 38 e 39. Se não tiver tempo de preparar um molho, você pode, sem qualquer problema, adicionar vinagre, pimenta-do-reino, temperos ou aspartame.

Cuidado com as armadilhas que podem frear sua dieta e provocar retenção de líquidos: limite não apenas o consumo do sal como também o da mostarda.

BEBIDAS	**PRATOS**
Água com ou sem gás	Frango grelhado
Chá verde	Steak Tartar
Refrigerantes Zero	Rosbife
ENTRADAS	Vitela assada
Ovos cozidos	Coelho
Kanis	Fígado de vitela ou de galinha
Embutidos magros (carpaccio, presunto magro)	Peixe no vapor
Peito de frango	Omelete
Salmão defumado	Ovos mexidos...
Camarões	**SOBREMESAS**
Caranguejo...	Iogurtes com 0% de gordura
ACOMPANHAMENTOS	Panqueca de farelo de aveia (se não tiver comido no café da manhã)
Shiratakis de konhaku (bolonhesa light...)	Sobremesas à base de ovos (ovos nevados, creme de ovos de baunilha etc.)

Conserve a estrutura das refeições

É importante conservar um ritmo nas refeições, pois, depois de alguns dias, você corre o risco de se sentir frustrado. Sentar-se à mesa, diante de um prato quente é, ao mesmo tempo, estimulante e reconfortante. Sua refeição é composta unicamente por proteínas, mas você vai descobrir que é possível preparar pratos saborosos com apenas este nutriente.

Nas refeições que preparar de acordo com suas preferências, tome o cuidado para distinguir uma entrada, um prato principal e uma sobremesa. Componha suas refeições de acordo com seu apetite. Se não tiver tempo ou se não tiver muita fome pela manhã, por exemplo, você pode degustar uma panqueca de farelo de aveia no almoço, como sobremesa.

Posso fazer um lanche entre o café da manhã e o almoço?

Como você pode consumir os alimentos indicados na lista de produtos autorizados, também pode, evidentemente, fazer um lanche quando sentir fome.

A seguir, apresentamos alguns exemplos de lanche fácil, que podem ser levados com você:

- kani;
- ovo cozido;
- iogurte com 0% de gordura, aromatizado e sem açúcar;
- bresaola;
- fatias de peito de frango ou peru, ou de presunto magro;
- chá e café sem açúcar ou com adoçante.

O jantar

> **Cuide-se!**
>
> Não jante muito tarde, a fim de dar ao seu organismo o tempo necessário à digestão. Seu sono será mais tranquilo. Acomode-se confortavelmente para comer, mesmo que jante sozinho, e prepare a mesa de seu banquete. Com belos talheres e um bom guardanapo, você deve ter a impressão de jantar como de costume. Proteja-se! Usufrua também do tempo suficiente para comer: depois de 20 minutos de degustação, a fome desaparece. Se jantar muito rápido, você sairá da mesa com o estômago vazio.

O que comer no jantar durante a fase 1?

Mais que em qualquer outra refeição, o jantar (principalmente se a dieta começar no inverno) deve ser composto por um prato quente: assim, você se sentirá saciado e terá a sensação de ter comido uma verdadeira refeição. Você pode comer os mesmos alimentos do almoço e deve estruturar seu jantar da mesma maneira: entrada, prato principal e sobremesa. Para finalizar o jantar com chave de ouro, você poderá preparar uma infusão ou um chá, obtendo a água necessária à sua dieta e promovendo a sensação de saciedade.

BEBIDAS	PRATOS
Água com ou sem gás, infusão	Frango grelhado
Chá	Steak Tartar
ENTRADAS	Rosbife
Ovos cozidos	Vitela assada
Kani	Coelho
Embutidos magros (carpaccio, presunto magro)	Fígado de vitela ou de galinha
	Peixe no vapor
Peito de frango	Omelete
Salmão defumado	Ovos mexidos
Camarões	Suflê de frango...
Caranguejo...	**SOBREMESAS**
ACOMPANHAMENTOS	Iogurtes com 0% de gordura
Shiratakis de konhaku (bolonhesa light...)	Panqueca de farelo de aveia (se não tiver comido no café da manhã)
	Sobremesas à base de ovos (ovos nevados, creme de ovos de baunilha etc.)

Resista às tentações!

A hora do jantar costuma ser um momento difícil, pois voltamos cansado para casa. Você tem vontade de beliscar ao preparar o jantar? Aprenda a se conhecer: se sabe que a hora do jantar é o momento mais difícil do dia (quando volta do trabalho, tem de preparar o jantar das crianças), eis um dica para manter-se no controle: prepare uma panqueca de farelo de aveia e belisque-a enquanto cozinha. Porém, tenha cuidado, pois, neste caso, você não poderá comer a panqueca em outras refeições do dia.

Você deve sentar-se à mesa com sua família e evitar conscientemente os alimentos proibidos ao ver seus filhos saborearem um espaguete. Para resistir, não hesite em fazer um lanche antes do jantar. Não sente-se à mesa com o estômago vazio, pois esta é a melhor maneira de levar sua dieta ao fracasso.

Em seguida, tente preparar pratos de que não necessariamente gosta muito para o resto da família. Você não gosta muito de arroz? Cozinhe-o e, assim, será mais fácil resistir. Se o pão e o queijo forem seu pequeno pecado, evite a tentação e, em vez destes produtos, proponha iogurte como sobremesa. Enfim, integre os elementos de sua dieta às refeições de todos: frango como prato principal, peixe, requeijão cremoso 0% de gordura... Assim, você terá a sensação de jantar em família, mesmo que alguns alimentos lhe sejam proibidos.

EXEMPLOS DE CARDÁPIOS DA FASE 1 (ATAQUE)

	Shiratakis à bolonhesa leve	Laticínios	Sorvete de muesli (ver página 246)
	SEGUNDA-FEIRA	**TERÇA-FEIRA**	**QUARTA-FEIRA**
CAFÉ DA MANHÃ	> Bebida quente > Requeijão cremoso 0% de gordura > Uma panqueca de farelo de aveia (ver página 44)	> Bebida quente > Requeijão cremoso 0% de gordura > Uma panqueca de farelo de aveia	> Bebida quente > Um iogurte com 0% de gordura com aroma de baunilha > Uma panqueca de farelo de aveia
ALMOÇO	> Bresaola com requeijão cremoso 0% de gordura > Shiratakis à bolonhesa leve > Um iogurte com 0% de gordura com aroma de coco	> Camarões ao creme de soja > Badejo ao açafrão > Um iogurte com 0% de gordura com aroma de limão	> Peito de frango > Almôndegas de carne com ervas > Shiratakis ao molho de soja > Sorvete de muesli (ver página 246)
LANCHE	> Uma porção de requeijão cremoso 0% de gordura	> Chá ou café sem açúcar	> Um ovo cozido > Um iogurte com 0% de gordura
JANTAR	> Camarões rosas e cinzas > Filé de frango ao vinagre de maçã > Ovos em clara caseiros	> Pasta de atum com maionese Dukan > Fígado de galinha com vinagre balsâmico > Flã de baunilha caseiro	> Enrolados de salmão defumado com requeijão cremoso 0% de gordura, ao alho e ervas finas > *Sauté* de vitela com páprica > Manjar

Siga o número de dias de ataque indicados (entre um e sete dias, de acordo com seu caso).
Não se esqueça de que, todos os dias, você deve consumir 1 colher e meia de farelo de aveia
(contados nestes cardápios).

Ovos mexidos com ovas de salmão (ver página 146)

Panqueca de farelo de aveia

Bresaola

Omelete com menta e curry (ver página 204)

QUINTA-FEIRA	SEXTA-FEIRA	SÁBADO	DOMINGO
> Bebida quente > Um iogurte com 0% de gordura com aroma de baunilha > Uma panqueca de farelo de aveia	> Bebida quente > Uma porção de requeijão cremoso 0% de gordura > Duas fatias de presunto magro	> Bebida quente > Uma porção de requeijão cremoso 0% de gordura > Duas fatias de bresaola	> Bebida quente > Flã sem açúcar (sabor à sua escolha) > Um ovo cozido com peito de frango
> Ovos mexidos com ovas de salmão (ver página 146) > Robalo grelhado com ervas > Sorvete de chá de menta	> Mousse de salmão > Lulas com salsinha > Shiratakis com salsa e alho > Ovos nevados de baunilha	> Caviar de atum com queijo branco com 0% de gordura > Escalope de peru com molho de iogurte e curry > Mousse de limão	> Sopa de salmão > Omelete com menta e curry (ver página 204)
> Kanis e uma porção de requeijão cremoso 0% de gordura	> Um iogurte sem açúcar com aroma de coco > Uma panqueca de farelo de aveia	> Uma porção de requeijão cremoso 0% de gordura > Um muffin de farelo de aveia	> Chá ou café sem açúcar > Mingau com 1 colher e meia de farelo de trigo
> Gambas ao forno com ervas finas > Pudim de leite de amêndoas	> Pasta de atum caseira > Curry de tofu na frigideira > Um requeijão cremoso 0% de gordura	> Almôndegas de atum com ervas, posta de salmão ao forno > Um iogurte 0% de gordura com aroma de baunilha	> Esmoleira de salmão defumado com cebolinha e requeijão cremoso 0% de gordura > Espetinhos de carne > Torta de baunilha

Minha dieta
no dia a dia (fase 1)

Em família
As tentações serão inúmeras, sobretudo se você tiver filhos. Para não se sentir tentado, especialmente na fase de ataque, você pode, eventualmente, fazer a comida das crianças primeiro e, em seguida, cozinhar para si mesmo. O mais simples é preparar as proteínas à parte (o frango em um prato, os legumes no outro). Assim, você poderá escolher as partes que lhe convierem sem perturbar o desenrolar normal da refeição. Não se preocupe com as quantidades. Sirva-se novamente se sentir vontade, as quantidades são livres. Aumente as quantidades de carne, aves, peixes e frutos do mar. Você evita, deste modo, as perguntas de seus filhos, que poderiam não entender por que parte de seu prato está vazia. Prepare os cardápios com antecedência e tenha os ingredientes na despensa, para adaptá-los. Se seus filhos adoram ovo cozido, por exemplo, prepare um ovo para você, e, para seus filhos, pão e fatias de peito de peru light. Você poderá comer o presunto com o ovo, enquanto seus filhos comerão o pão.

No aperitivo
Se o aperitivo for em sua casa, prepare o que poderá comer sem causar danos à sua dieta: pequenos camarões, kani, cubos de peito de peru light. Tenha refrigerante Zero e água gaseificada para resistir ao álcool e aos sucos de fruta. Encha você mesmo seu copo, nunca deixe-o ficar completamente vazio. Assim, você desencorajaria os convidados que, tentando ser agradáveis, lhe serviriam vinho ou champanhe!

Se for convidado, a situação é mais delicada, mas não insuperável. Comece por se preparar anteriormente, com um lanche adequado, antes de ir à casa de seus amigos. Já que na fase de ataque os legumes são proibidos, um pequeno canapé não seria autorizado. Neste caso, peça um grande copo de água gaseificada e tenha-o sempre à mão, o que lhe dará a desculpa necessária para recusar o que lhe for oferecido pelos anfitriões.

No restaurante

É uma das situações em que a dieta das proteínas é a mais fácil de ser seguida. Depois de uma entrada como um ovo cozido ou uma fatia de salmão defumado, ou ainda um prato de frutos do mar, escolha entre um bife, um contrafilé grelhado, uma costela de vitela, um peixe ou uma ave. Enquanto espera pelos pratos, tome cuidado com o que for proibido beliscar: os picles não são autorizados em grande quantidade na fase de ataque, a mostarda é salgada demais... Enfim, se sentir que a fome começa a pesar no estômago por conta de uma espera muito longa, coma algo antes de ir ao restaurante: kanis, um ovo cozido...

A dificuldade surge depois do prato principal para os que gostam de açúcar ou queijo, possíveis escolhas dos companheiros de refeição. A melhor estratégia de defesa é recorrer ao café, que pode ser repetido caso a conversa se estenda. Ou, então, tenha em seu escritório ou no carro iogurtes com 0% de gordura, naturais ou aromatizados, para terminar a refeição com um toque de sobremesa fresca e cremosa.

Varie e coma muito!

Experimente e teste os alimentos indicados na lista! Ao longo dos primeiros dias, sua preferência o levará aos alimentos que você já conhece. Mas esta dieta também é uma oportunidade para descobrir novos sabores: vá ao açougue ou à peixaria, escolha peixes ou carnes ainda não encontrados nos grandes supermercados.

Perguntas e respostas

Devo tomar vitaminas ao longo da dieta?

Se a duração da dieta for curta, tomar vitaminas não é obrigatório. Contudo, se ela durar mais tempo, você deve associar uma dose diária de complementos polivitamínicos, mas evite as doses fortes ou de caráter múltiplo: seu acúmulo pode se tornar tóxico. Pode ser útil preparar 1 fatia de fígado de vitela duas vezes por semana e tomar 1 colher de sopa de levedura de cerveja todas as manhãs. Assim que os legumes forem autorizados, você terá a dose necessária de vitaminas em suas saladas compostas de alface, pimentão cru, tomate, cenouras e endívias.

Posso mascar chicletes sem açúcar para amenizar a fome?

Os chicletes podem ser muito úteis ao longo da dieta para quem gosta muito de beliscar. Considero os chicletes um excelente auxílio na luta contra o sobrepeso. Masque quatro ou cinco chicletes imediatamente após a última garfada de seu jantar. Isso evitará que você caia na tentação de sua despensa.

Tenho dificuldades em beber muito líquido, o que fazer?

A quantidade de líquidos lhe parece inatingível? Não se esqueça de também contar o café, o chá ou qualquer outra infusão que beber. Você logo perceberá que é fácil chegar ao mínimo preconizado. Procure beber também água aromatizada de fruta ou mentolada sem açúcar e as bebidas autorizadas como moderadores de apetite para aumentar a sensação de saciedade.

Posso fazer exercícios físicos durante a fase de ataque?

Tudo depende do peso a perder, de sua idade e de seu histórico médico.

Se tiver muito peso a perder, é preferível não fazer esforços físicos excessivos para o coração, a circulação e as articulações dos quadris, dos joelhos e das vértebras, não apenas na fase de ataque, mas também na fase de cruzeiro. Apenas a caminhada é autorizada.

Se tiver mais de 55 anos, comece a fazer ginástica progressivamente, respeitando tanto os problemas de carga quanto de sobrepeso do início da dieta.

Se você não for muito idoso nem muito pesado, tudo é possível. Contudo, durante a fase de ataque, o emagrecimento corre o risco de ser fulminante e pode, combinado com um excesso recente de atividade física, cansar e reduzir a forma, que é o carburador energético e mental da motivação. Em todo caso, uma atividade sempre lhe será possível: a caminhada. Em minha opinião essa é a melhor de todas as atividades, além de ser a mais simples. Natural e fácil, pode ser praticada em todos os lugares, a qualquer hora do dia, com qualquer peso, sem roupas específicas, mesmo de salto alto, sem transpirar, sem machucar. Não custa nada e gera muitos benefícios.

Balanço da fase 1

Pronto, você chegou ao fim da fase 1! É hora de fazer o balanço de sua forma e de sua perda de peso.

Você perdeu muito peso e perdeu muito rápido...
A fase de ataque é fulminante: pode-se perder, facilmente, de 2 a 3 quilos em cinco dias. Entretanto, uma pessoa obesa perderá mais rapidamente, no começo, os 6 quilos que uma pessoa já magra deseja perder para afinar a cintura antes das férias. Esta perda pode chegar a até 5 quilos para pessoas obesas.

Você não perdeu tão rápido quanto imaginava...
Antes de mais nada, existe a menstruação que, para a maior parte das mulheres, é um período de forte retenção. Se for o caso, beba um pouco mais e use o mínimo possível de sal. Você verá a perda esperada alguns dias depois da menstruação.

Se nada estiver relacionado com a menstruação, interrogue-se. Sua dieta foi seguida sem erros? Se seguiu todas as recomendações do livro e, ainda assim, não viu resultados, você pode ser um caso difícil, pois talvez tenha seguido inúmeras dietas ou tenha uma grande hereditariedade quanto ao sobrepeso. Você também pode estar na pré-menopausa e ter um desregulamento hormonal, ou, ainda, estar sob tratamento antidepressivo ou de cortisona.

Você sofre de prisão de ventre
Na verdade, as proteínas contêm pouquíssimos dejetos e a ausência de gordura reduz a lubrificação do tubo digestivo. Ingira um pouco mais de líquidos.

Você se sentiu um pouco cansado...
Você se considera cansado por causa da dieta? Você não estava cansado antes de começá-la?

Se for o caso, é muito raro, mas é possível. Você pode não ter se alimentado o suficiente. Não se esqueça de que as quantidades são ilimitadas. A carne é o melhor remédio natural contra o cansaço, principalmente a carne vermelha e magra do boi.

O cansaço relacionado com o sal e a água

O sal tem uma ação sobre a pressão arterial. Comendo sem sal, você reduz em ao menos um ponto sua pressão arterial e, se esta já for baixa – de 11, por exemplo –, poderá passar a dez, ou mesmo nove, o que é mais baixo e cansativo.

O excesso de água (se beber mais de 2 litros) tem o mesmo efeito. A água lava o sangue e faz com que a pressão arterial abaixe. O pior dos casos é uma associação entre ambos. Tente não beber muito à noite, para não se levantar muito para urinar: o sono é importante para combater o cansaço.

Se o cansaço persistir, verifique sua pressão arterial com seu médico e diga-lhe que a dieta que você segue não costuma causar cansaço.

A fase de ataque em resumo...

Você poderá consumir 72 alimentos ricos em proteínas, e nada mais. Esta fase pode variar e durar de um a sete dias. Concentre-se nos alimentos autorizados e esqueça todas as outras categorias de alimentos.

Você poderá consumir as proteínas autorizadas à vontade.

Você deverá beber ao menos 1 litro e meio de água por dia. Isto não é apenas um conselho, mas uma obrigação. É imperativo beber abundantemente para o bom funcionamento da dieta.

As nove categorias de alimentos autorizados:
• carnes magras: filé mignon, boi, exceto a costela de boi;
• certos abates: fígado e língua;
• laticínios desnatados e 0% de gordura;
• ovos;
• proteínas vegetais (tofu, seitan).
• todas as aves sem pele (exceto o pato e o ganso);
• todos os frutos do mar;
• todos os peixes;
• todos os presuntos sem gordura (peito de peru, presunto magro e presunto de frango);

Para temperar, você poderá usar apenas:
• aromas;
• condimentos;
• ervas;
• gotas de suco de limão.
• vinagre;

Com moderação, você poderá salgar um pouco ou consumir mostarda.

Para um máximo de prazer, nenhuma restrição de quantidade.
Para se sentir bem, não limite as quantidades e varie suas refeições.

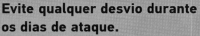

Evite qualquer desvio durante os dias de ataque.
Para esta fase, que não dura muito tempo e deve surpreender seu organismo, siga rigorosamente as instruções.

Você poderá consumir 1 colher e meia de sopa de farelo de aveia por dia, especialmente em forma de panquecas. Utilize shiratakis à vontade.

Fase 2: **o cruzeiro**

Passe de 72 a cem alimentos à vontade,
até a obtenção do peso desejado.

Os objetivos da fase 2

Uma perda regular
Depois de três a cinco dias em fase de ataque, você perceberá que a falta de legumes verdes e verduras em sua alimentação começa a lhe fazer falta. Por isso, você entrará facilmente nesta segunda fase, cujo programa é a alternância de dias de proteínas puras e dias de proteínas + legumes.

Uma perda de peso a longo prazo
Na fase de alternância, você certamente constatará uma diminuição na rapidez de seu emagrecimento. Esta diminuição é normal, e seu corpo deve se adaptar a esta nova fase para entrar na dieta a longo prazo. Fique tranquilo: ainda há perda de peso atrelada à fonte de gorduras e, mesmo que camuflada pelo retorno da água, ela continuará sem problemas.

Quanto à duração desta fase, tudo dependerá de quantos quilos que você deseja perder. A fase durará até o Peso Ideal ser atingido.

Uma perda de peso progressiva
A experiência sugere que, quando é necessário perder mais de 20 quilos, a perda se estabelece, em média, em torno de 1 quilo por semana. Claro, ao longo da fase 1, você perdeu mais. Por este motivo, no período de dois meses, entre as fases 1 e 2, você pode esperar perder seus primeiros 10 quilos. Em seguida, veremos como a curva se inclina pouco a pouco, pois o corpo cria um mecanismo de defesa na fase de consolidação. Mas, por enquanto, se as instruções forem respeitadas ao pé da letra, você não encontrará obstáculos.

A descida por patamares

Enquanto a perda de peso foi espetacular até aqui, a balança, de repente, parece estagnar. A partir do momento em que os legumes são incluídos, a água, artificialmente expulsa por uma alimentação exclusivamente proteica, volta ao seu organismo, pois as fases de alternância são, por definição, menos hidrófugas que as fases de proteínas puras. É claro que durante os dias de proteínas puras você verá, com alegria, o ponteiro da balança começar a descer novamente, e terá a sensação de que seu peso desce por patamares: um pequeno patamar seguido de uma descida brusca. É a maneira fisiológica segundo a qual seu corpo funciona. Fique tranquilo e confie no método, tudo isto está previsto e faz parte do caminho até seu Peso Ideal.

As regras da fase 2

A introdução dos legumes depois do período de ataque traz frescor e variedade à dieta inicial, que fica mais fácil e confortável. Agora, é melhor começar sua refeição com uma salada bem temperada, rica em cores e sabores, ou, à noite e durante o inverno, com uma sopa, para, em seguida, passar ao prato de carne ou peixe cozido em legumes perfumados e aromatizados, para terminar com um, dois ou mesmo três laticínios!

A alternância de proteínas puras + legumes

Ao longo desta segunda fase de sua dieta, você alternará períodos de proteínas puras e períodos de proteínas + legumes, até a obtenção do peso desejado.

A escolha de alternância e de seu ritmo varia a cada caso. Devem ser considerados vários parâmetros, como idade, trânsito intestinal, número de quilos a perder, grau de atividade física e preferência pela carne e pelos legumes. Pode variar de um dia de proteínas puras/um dia de proteínas + legumes a cinco dias de proteínas puras/cinco dias de proteínas + legumes. Veremos como escolher.

Porém, qualquer que seja o tipo de alimentação e seu ritmo, as quantidades continuam sendo livres, tanto de proteínas quanto de legumes. A noção de "à vontade" é um dos fundamentos de meu método. A lista de alimentos autorizados não muda (ver página 40).

À vontade, para aguentar por algum tempo

Cuidado para não usar este argumento como um recurso qualquer. Diante da fome, da tentação, da vontade, da sedução pelo beliscar, a liberdade total é sedutora e exerce um poderoso papel, mas não deve ser uma válvula de escape ou algo ao qual você deve se ater.

Conheço pacientes que param suas atividades e comem sem fome, assim como mascariam chicletes. Tome cuidado com a tentação, os legumes não são inofensivos. Coma até se satisfazer, mas não além. Isso em nada muda o princípio da não restrição quantitativa, o coração da dieta: qualquer que seja a quantidade ingerida, a perda de peso será

Legumes sim, mas sob certas condições...

Quando escolher os legumes da lista, você poderá comê-los cozidos ou crus, sem qualquer restrição de quantidade. É possível consumi-los a qualquer hora, da maneira que desejar. Tome cuidado, no entanto, para respeitar as instruções de preparo, a fim de não aumentar a ingestão de lipídios, que devem ser consumidos da maneira mais reduzida possível.

mantida, mas a um ritmo menos intenso e, por isso mesmo, menos encorajador.

Armadilhas a serem evitadas

• A preocupação com a diminuição da velocidade da perda de peso

Quando abrimos as portas aos legumes, certos pacientes que, até aqui, seguiam as instruções ao pé da letra, começam, às vezes, a se dar o direito de cometer pequenos desvios. Tais extras costumam estar relacionados com a diminuição natural da velocidade da perda de peso, que era extremamente rápida durante a fase de ataque.

Esta diminuição de velocidade é normal e aconteceria de qualquer maneira, mesmo se você tivesse continuado na fase de ataque. Ela está atrelada a duas razões: primeiramente, o corpo, surpreendido pela intensidade do ataque, não resiste bem à potência da dieta e faz com que as primeiras reservas de gordura sejam facilmente perdidas. Essas gorduras de superfície são voláteis, perdidas ou adquiridas rapidamente. Por outro lado, a dieta das proteínas é muito hidrófuga. Ou seja, com as primeiras gorduras queimadas, a água é bruscamente expulsa. E 1 litro de água pesa 1 quilo! Passados os primeiros dias, esses dois fatores responsáveis pela perda imediata deixam de funcionar. Finalmente, a chegada dos legumes representa o terceiro elemento da redução de velocidade. Aqui, você entra em um combate mais inflamado, um combate corpo a corpo que deve ser aceito como é: mais lento.

• Comer só legumes

Como estamos em um plano em que a liberdade de escolha dos alimentos e de quantidades é um princípio básico, não cometa um erro comum, que consiste em se alimentar apenas com legumes. Seria perigoso privar-se das proteínas. Qual é o perigo? O de não mais atender às necessidades vitais em proteínas que o ser humano não sabe sintetizar, fazendo com que o corpo desconte na sua massa muscular, na sua pele e nos seus cabelos. Quando os legumes passaram a ser autorizados, não se deve excluir as carnes e peixes, mas associá-los. Você encontrará a lista de legumes na página 69. Atenção para, assim como na fase de ataque, respeitar escrupulosamente as instruções e considerar que tudo o que não está indicado na lista é, por consequência, proibido.

O que fazer em caso de interrupção?

Uma dieta é uma pequena parte da vida submetida aos "ossos do ofício", ao encontro com grandes dificuldades. Você pode ficar cansado da dieta e perder a motivação: somos humanos e, muitas vezes, frágeis e propensos ao cansaço. Você pode sofrer pressões, estresse, escolhas, dificuldades, somos todos humanos e submetidos a certas necessidades. Você pode viajar, ir embora, não mais se encontrar nas condições iniciais e, assim, interromper sua dieta. Em todos os casos, uma regra deve permanecer absoluta e intangível: parar, sim, mas respeitando o protocolo de saída. A pior das soluções seria parar no meio de uma desordem. Tal desvio faria com que você perdesse o fruto de seu esforço. Qualquer que seja o peso perdido, é preciso conservá-lo, protegê-lo, pois ele é seu. Passe para a terceira fase, que você ainda não conhece: a fase de consolidação (ver página 91), uma etapa necessária entre uma dieta difícil e a não dieta.

O ritmo da alternância

Uma alternância necessária

A fase de cruzeiro, com o benefício da rapidez adquirida na fase de ataque das proteínas puras, tem, a partir daqui, a responsabilidade de levá-lo ao peso escolhido. Assim, esta fase ocupará a maior parte do período estritamente emagrecedor da dieta Dukan.

A adjunção ritmada dos legumes diminui o impacto das proteínas puras. E com razão! Estaria fora de questão sustentar um ritmo muito rápido. Seria contraproducente, pois isto faria o corpo resistir fortemente. As boas donas de casa sabem que espremer um limão de uma só vez é menos eficaz que deixá-lo descansar para melhor aproveitá-lo. O dia (ou os dias) de proteínas puras representa um período ofensivo, um ataque surpresa, e a força de ataque deve consolidar sua posição e se seguir de descanso, para que a perda de peso seja mais bem aproveitada.

Além disso, o organismo precisa do frescor dos legumes, das saladas, de suas vitaminas e fibras para otimizar seu trânsito.

Como escolher sua alternância?

Existem dois ritmos de alternância principais e dois mais raros, para casos específicos.

• **Cinco dias de proteínas puras (PP), cinco dias de proteínas + legumes (PL)**
Este é um ritmo forte (às vezes forte demais), que demanda motivação a toda prova. Os cinco dias sem legumes podem parecer longos à medida que o tempo passa.

• **Um dia de proteínas puras (PP), um dia de proteínas + legumes (PL)**
Há algum tempo, minha prescrição de alternância era sistemática: 5/5. Depois, dei-me conta de que o ritmo 1/1 trazia, com frequência, resultados muito parecidos, sem a frustração dos cinco dias sem legumes e era menos desanimador. Esta é a alternância que mais aconselho.

Os alimentos tolerados

Um alimento tolerado é aquele que não pertence à lista de cem alimentos permitidos, mas que pode ser adicionado em uma dose bem precisa, para atenuar o rigor da dieta. A dose tolerada é calibrada em quantidade e em frequência de acordo com o alimento, sabendo que o utilizador tem direito a apenas dois alimentos tolerados por dia na fase de cruzeiro (ver o quadro da página 69) e três na fase de consolidação.

- **Dois dias de proteínas puras (PP), cinco dias de proteínas + legumes (PL)**

Esta é uma alternância mais rara e, logo, ocasional. Convém às pessoas vulneráveis, frágeis, mais idosas (com mais de 70 anos) e, sobretudo, que tenham muito pouco peso a perder. Aplica-se também àqueles que acreditam ser importante perder peso lentamente. São poucos, mas existem, e esta alternância lhes convém.

- **Dois dias de proteínas puras (PP) e uma dieta normal durante cinco dias**

Uma variante do 2/5 é o 2/0, isto é, dois dias de proteínas puras por semana e cinco dias normais, sem dieta particular, mas também sem excessos particulares. É a dieta e a cadência que melhor convém às mulheres com celulite, que costumam ser magras na parte de cima do corpo, busto, seios e rosto, mas largas nos quadris e principalmente nas exuberantes coxas. Esta dieta faz com que se obtenham os melhores resultados locais, poupando ao máximo a parte superior do corpo, especialmente se combinada a um tratamento local (massoterapia). Neste caso, é necessário tomar cuidado para que as sessões de tratamento locais sejam realizadas no dia de proteínas, a fim de atacar as gorduras rebeldes, liberá-las de um aprisionamento e queimá-las.

Coma frio, você emagrecerá mais rápido

Você sabia que, ao comer alimentos frios, seu corpo deve aquecê-los para levá-los à temperatura central, a fim de poder digeri-los e, principalmente, de assimilá-los? Nada entra em seu sangue sem ser previamente aquecido. Esta operação de aquecimento tem um custo calórico, e tal custo retira as calorias trazidas pelos alimentos. É matemático!

Comer frio nem sempre é fácil, especialmente no inverno. Mas você pode beber bebidas frias. Quando você bebe 1 litro e meio de água conservada na geladeira, ela chega a 4 graus. Quando urina esta água, ela chega a 35 graus: você aumentou sua temperatura em 31 graus. Você a aqueceu e queimou calorias. Não muitas agora, certamente, mas muitas ao fim do ano. Se você gosta de água fresca, continue bebendo, ou ao menos tente.

FASE 2 | **O CRUZEIRO** 69

O que comer durante a fase 2?

Durante a fase de cruzeiro, você pode consumir cem alimentos (72 proteicos e 28 legumes), sem limitação de quantidade, horário ou mistura.

Para os dias de proteínas puras (PP), leia a lista de alimentos autorizados na fase 1, na página 40.

Entretanto, para os dias de proteínas + legumes (PL), segue a lista de legumes que você poderá comer sem problemas, crus ou cozidos. Não se esqueça de combiná-los com as proteínas... Você também pode adicionar alguns alimentos tolerados.

Autorizados		Tolerados	Proibidos
Abobrinha	Palmito	Amido de milho (1 colher de sopa ou 20 gramas)	Abacate
Abóbora	Pepino	Cacau sem açúcar (1 colher de café ou 7 gramas)	Favas
Agrião	Pimentão	Creme de leite com 3% de gordura (1 colher de sopa ou 30 gramas)	Feijão
Aipo	Quiabo		Lentilhas
Alface	Rabanete	Farinha de soja (1 colher de sopa ou 20 gramas)	Milho
Alho-poró	Repolho	Goji berries (1 a 3 colheres de sopa, de acordo com a fase)	Ervilhas em geral
Aspargos	Rúcula	Iogurte 0% de gordura com frutas (1)	Grão-de-bico
Berinjela	Tomate	Iogurte de mel com 0% de gordura (1)	Batata
Broto de soja (moyashi)	Vagem	Iogurte de soja natural (1)	Arroz
Brócolis		Leite de soja (1 copo ou 150 mililitros)	
Cebola		Molho de soja (1 colher de café ou 5 gramas)	
Chicória		Queijo com até 7% de gordura (30 gramas)	
Chuchu		Requeijão com até 7% de gordura (40 gramas)	
Cogumelos/Shitaki		Salsicha de frango com 10% de gordura no máximo (100 gramas)	
Couve-de-bruxelas	**Autorizados com moderação**	Tempeh (50 gramas)	
Couve/Couve-Flor		Vinho para cozinhar (3 colheres de sopa ou 30 gramas)	
Endívia		Óleo (3 gotas ou 3 gramas)	
Erva-doce	Alcachofra		
Espinafre	Beterraba		
Jiló	Cenoura		
Nabo			

Como preparar os legumes?

Crus

Para todos aqueles cujo intestino tolera legumes crus, é sempre preferível consumi-los deste modo, com todo seu frescor, sem cozinhá-los para evitar a perda de boa parte de suas vitaminas. Sob aparências inocentes, o tempero é um dos maiores problemas da dietética emagrecedora. Para muitas pessoas, legumes crus e saladas representam a própria base de uma alimentação de dieta, pouco calórica e rica em fibras e em vitaminas. Isto é perfeito se não forem utilizados os molhos de acompanhamento que desestruturam radicalmente o conjunto de suas qualidades. Por todas essas razões, durante a fase de emagrecimento, use apenas os molhos cujos ingredientes estão detalhados aqui.

• Molho Maya

Existe em duas versões: com ou sem óleo mineral.

Primeiramente, o vinagrete balsâmico com óleo mineral, que é uma excelente solução para os usuários que sofrem de prisão de ventre. O óleo mineral apresenta duas grandes vantagens: não contém qualquer caloria e, como excelente lubrificante, facilita o trânsito intestinal. Quaisquer que sejam os rumores a respeito deste óleo, não os leve em conta: seu consumo, mesmo prolongado, não traz qualquer problema. O único inconveniente deste óleo diz respeito à sua dose que, se for muito elevada, aumenta o risco de pequenas fugas que podem sujar suas roupas íntimas. Para evitar esse tipo de inconveniente, e tornar mais leve sua consistência, que é um pouco mais pesada que a dos óleos normais, prepare o vinagrete com a seguinte mistura, em um pote de mostarda vazio:

- 1 colher de café de óleo mineral
- 1 colher de sopa de água com gás
- 1 colher de sopa de mostarda
- 5 colheres de sopa de vinagre balsâmico
- 1 dente de alho
- 7 a 8 folhas de manjericão
- sal, pimenta-do-reino

Para preparar o vinagrete, prefira água mineral gasosa, que facilita a emulsão do óleo mineral. Escolha, de preferência, um vinagre balsâmico de qualidade, pois é, de longe, o vinagre mais saboroso e atrativo.

Cuidado com o óleo

Em uma saladeira, contendo folhas de alface ou endívias e 2 colheres de sopa de óleo, temos 20 calorias de salada e 280 calorias de óleo... Desconfie do óleo, pois ele não faz parte dos alimentos autorizados. O azeite não foge à regra (com exceção de 1 colher de café de vinagrete Maya). Este óleo é unanimemente reconhecido por seus benefícios e tem um papel importante na proteção cardiovascular, mas não é menos rico em calorias que os outros óleos do mercado.

Contudo, você também pode variar com vinagrete de xerez, de framboesa, de cidra ou qualquer vinagre aromatizado a gosto.

Em segundo lugar, o vinagrete sem óleo mineral
Tem exatamente a mesma preparação, substituindo-se a colher de café de óleo mineral por uma colher de azeite ou óleo de canola. Este molho pode ser usado livremente durante o dia, mas em apenas uma dose. É possível encontrar este segundo vinagrete com a marca Dukan.

- **Molho de iogurte ou requeijão cremoso com 0% de gordura**
Para os que não desejam usar o óleo mineral, é possível preparar um molho saboroso e natural com um laticínio light. Escolha um iogurte natural clássico, mais cremoso que o iogurte desnatado e apenas um pouco mais calórico. Adicione 1 colher de sopa rasa de mostarda de Dijon e bata a mistura como maionese, até que fique consistente. Adicione um pouco de vinagre, sal, pimenta-do-reino e ervas.

Os tipos de cozimento

- **Ao vapor**
Os legumes autorizados podem ser cozidos na água, fervidos ou, melhor ainda, ao vapor, para conservar suas vitaminas ao máximo.
- **Ao forno**
Os legumes também podem ser preparados no forno, no molho da carne ou do peixe. Alguns exemplos: robalo ao funcho, dourado com tomates ou couve recheada com carne bovina.
- **Em papelote**
O cozimento em papelote reúne todas as vantagens, tanto no que diz respeito ao gosto quanto ao valor nutricional. O peixe fica particularmente excelente neste tipo de cozimento: o salmão, por exemplo, conserva sua maciez sobre o alho-poró ou um caviar de berinjela.
- **Grelhado**
Pode ser uma verdadeira grelha ou uma frigideira antiaderente e espessa. É um tipo de cozimento excepcional, que confere aos legumes um gosto e uma consistência novos. Aconselho especialmente a todos os que não se sentem atraídos por legumes em geral. Experimente com seus filhos, que fazem caretas para esses alimentos essenciais.

Não se esqueça dos condimentos!

Estudos recentes demonstraram a importância das sensações gustativas, da qualidade e da variedade dos sabores na produção da saciedade e satisfação.

Atualmente, sabe-se, por exemplo, que certos condimentos proporcionam sabores extremos, especialmente o cravo, o gengibre, o anis, o cardamomo, que levam ao acúmulo de sensações poderosas e penetrantes, com poder para elevar a capacidade do hipotálamo, centro cerebral encarregado de contabilizar as sensações até o acionamento da saciedade. É, portanto, muito importante utilizar toda a gama de condimentos e, se possível, no início de cada refeição, tentando habituar-se a elas quando não se é um fã incondicional.

A atividade física
prescrita em atestado

Cuidado! Aqui, você entra em um setor totalmente novo de meu método. Até agora, eu aconselhava fortemente a atividade física, mas ainda não a tinha incluído como parte integrante, absoluta e radical da dieta. Atualmente, não deixo de prescrevê-la em atestado a meus pacientes. É o segundo motor do Método Dukan: a atividade física prescrita em atestado (AFPEA).

A caminhada: um remédio emagrecedor

E é assim que, há um ano, não mais aconselho a caminhada, mas prescrevo-a em atestado, como se fosse um medicamento.

Fase de ataque	20 minutos por dia
Fase de cruzeiro	30 minutos por dia
Fase de consolidação	30 minutos por dia
Fase de estabilização	20 minutos por dia
Em caso de estagnação e para "quebrar um patamar"	1 hora por dia durante três dias

O que são 20 minutos de caminhada, quando pensamos em todos os esforços, gastos, obrigações, motivações necessárias para emagrecer? Então, conto com você.

A caminhada é a atividade:
• mais naturalmente humana: se não somos mais macacos, é por termos nos colocado em posição ereta e começado a caminhar;
• mais eficaz que existe: caminhando em bons passos, queimamos mais do que jogando tênis, pois, fisicamente, não jogamos mais de 20 minutos em uma hora de jogo;
• menos cara;
• que pode ser praticada a qualquer hora do dia e da noite;
• que menos machuca e compromete as articulações;
• que menos faz transpirar;
• que permite que façamos outras coisas ao mesmo tempo: telefonar, ouvir música, até mesmo ler;

- que menos dá fome;
- que pode ser praticada por obesos, sem riscos;
- a única que tem as melhores chances de ser mantida a longo prazo, quando entendemos e sentimos seus extraordinários benefícios.

Claro, existem outras maneiras de se mexer: as academias de ginástica, os aparelhos de musculação, as bicicletas ergométricas, os *personal trainers*, os esportes de luta, a natação, a hidroginástica, a dança moderna ou de salão, o tênis etc. Mas todas essas atividades, por mais úteis que sejam, são próteses de atividade. Interessantes, mas não podem exigir o que a caminhada tem por direito: o *status* de funcionamento corporal universal do ser humano. E, a este título, é a melhor maneira de reforçar o regime alimentar.

Com a caminhada, você está simplesmente adicionando um segundo general ao seu exército contra o sobrepeso!

A atividade utilitária integrada ao cotidiano

Trata-se de tudo que você precisaria fazer sozinho, caso o desenvolvimento da tecnologia não lhe tivesse tirado a obrigação. Se você tem um problema de peso, deve tentar mudar de atitude diante do esforço. Você não leva a vida de forma equilibrada e isto o faz engordar. Atualmente, nosso corpo sofre por não cumprir mais o mínimo de atividade necessária à simples manutenção de sua função muscular. Essa carência de uso corporal nos impede de eliminar o excedente de calorias alimentares, restando-nos apenas a restrição e a dieta para evitar ou reduzir o ganho de peso. Porém, ainda mais grave, não se mexer – o que pensamos ser um progresso – nos priva de uma boa parte de nós mesmos, do que os gregos chamavam de "humanidade corporal". Nosso psiquismo, nosso afeto, nosso equilíbrio psicológico e nosso sistema hormonal e imunitário sentem com isto e o conjunto dessas faltas se traduz em um sofrimento inconsciente que, cedo ou tarde, buscará compensações na comida.

Além da caminhada, que é, fundamentalmente nossa atividade natural, privilegio a atividade utilitária no cotidiano, aquela que deve se tornar sua "proteção", que deve ser arrancada dos robôs poupadores de movimentos.

Como tive a ideia da AFPEA

A seguir, dois acontecimentos.

O primeiro foi o de ter visto, em uma agência de viagens espanhola enquanto esperava para ser atendido, três empregados sentados em cadeiras de escritório com rodas. Dois deles deslocavam-se nestas cadeiras por até 2 ou 3 metros para buscar pastas ou imprimir bilhetes. O terceiro, que preferia se levantar, coincidentemente, era o único magro dos três.

O segundo me veio graças ao tratamento de um paciente que se tornou um amigo. Quando o conheci, ele pesava 230 quilos. Tendo chegado aos 140, decidiu parar de fumar e parou de emagrecer. Eu estava pronto para estabilizá-lo, mas ele insistia que devia emagrecer mais. Prescrevi 45 minutos de caminhada por dia em atestado, como condição absoluta. Apesar de suas funções de presidente e diretor-geral de uma grande empresa e de suas reticências, ele o fez. Hoje, chegou aos 100 quilos.

5 subidas
e descidas
= 1 kcal

• **Esqueça o elevador**
Uma mulher de 30 a 40 anos que ao chegar para a consulta comigo reclama de ter subido quatro andares a pé devido a uma pane no elevador é uma mulher que "perdeu seu corpo".

Cinco degraus na ida e na volta representam uma caloria consumida. Quatro andares duas vezes por dia representam simplesmente 1.400 quilocalorias queimadas em um ano, ou seja, quase 2 quilos a menos na balança.

• **Dê atenção às pequenas tarefas cotidianas**
• Passe o aspirador de pó sem procurar diminuir seu esforço. Faça-o como se estivesse realizando um exercício em uma academia de ginástica, acionando aparelhos pagos.
• Faça suas compras a pé e fique orgulhoso de fazê-lo.
• Passeie com seu cachorro.
• Arrume sua cama, mas arrume-a bem. Não dobre as costas concentrando o esforço sobre a lombar, mas dobrando os joelhos.
• Não tenha medo de carregar qualquer tipo de objeto ou pacote.
• Para pegar algo do chão, não dobre as costas, dobre os joelhos!
• Arrume seu jardim! É uma excelente maneira de queimar calorias.

Cinco exercícios de ginástica

Se tiver de escolher alguns exercícios de ginástica, eis cinco bastante eficazes. A palavra de ordem é tonificar-se, contrair a musculatura e esperar sua total retração. Além da necessidade de tonificar, conserve na memória que uma pele distendida por um emagrecimento precisa de pelo menos seis meses para efetuar integralmente seu trabalho de retração.

1. O rei dos exercícios: o A-B-C
Este exercício, que trabalha as coxas, os ombros e os dorsais, deve ser feito em sua cama duas vezes: uma ao acordar e outra ao deitar-se.
• Coloque um travesseiro na parte superior da cama, contra a parede, além de uma almofada inclinada sobre o travesseiro, para formar um plano inclinado de 45 graus.
• Alongue-se em posição sentada, de modo que seu busto siga a mesma inclinação que sua almofada. Dobre os joelhos perto de 90 graus.

- Saia da posição ereta à posição vertical e desça até encostar na almofada. Refaça o movimento sucessivamente, de dez a trinta vezes.
- Assim que sentir que seu abdome começou a se cansar, modifique o movimento. Levante novamente o busto, puxando unicamente os braços. A vantagem é deixar o abdome repousar graças ao apoio dos braços, o que lhe permitirá continuar este movimento simples e rápido sem se cansar. Quando os bíceps começarem a ficar aquecidos, volte aos abdominais.
- Comece fazendo séries de 15 repetições de manhã e 15 à noite. O objetivo é fácil de atingir: em alguns dias ou semanas, você conseguirá realizar duzentos movimentos de manhã e duzentos à noite, em uma série que dura poucos minutos.

Que o inverno chegue logo!

Caminhando a uma temperatura próxima de zero grau, você consome 25% das calorias excedentes. Saia suficientemente coberto, mas não muito. Apenas o necessário para não sentir frio e evitar que fique resfriado.

Por que este movimento é "nobre"?
Porque coloca em movimento a cintura abdominal, que tende a ficar naturalmente flácida com a idade, tanto para o homem quanto para a mulher. O movimento coloca em tensão os músculos dos braços, primeiros marcadores da flacidez da pele. Além disso, trabalha as coxas, os ombros e os dorsais. Pode ser praticado em sua cama. Então, se puder fazer apenas um movimento, faça este.

2. O especial para os glúteos
Este movimento também é praticado na cama, todos os dias, ao acordar e ao se deitar, e constitui o complemento natural ao exercício anterior. Muito eficaz, trabalha não apenas os glúteos, como também os músculos da parte posterior das coxas, o quadril e os músculos da parte posterior dos braços.
- Comece tirando o travesseiro e a almofada: o movimento é praticado na horizontal.

- Mantenha-se deitado e coloque os braços esticados ao longo do corpo, na cama. Dobre os joelhos sobre as coxas, formando um ângulo reto.
- Nesta posição, apoiando-se sobre os braços de um lado e, do outro, sobre os pés e os músculos da parte posterior das coxas, faça uma ponte, levantando os glúteos em direção ao teto, até que o peito e as pernas estejam alinhados em uma perfeita linha reta.
- Quando conseguir chegar ao alinhamento, desça rapidamente e deixe-se "quicar" no colchão, voltando a repetir o movimento de ponte. Este efeito de trampolim lúdico facilita um pouco o movimento e faz com que lhe seja mais fácil praticá-lo, até sentir o calor e a tonicidade invadirem seus músculos.

- Comece por séries de trinta repetições de manhã e trinta à noite (não mais de 1 minuto e meio, no total). Caso você não consiga realizar as trinta repetições por falta de treino, não se sinta desencorajado: reduza o número de movimentos, procurando não realizar menos de dez repetições de manhã e dez à noite. Estes músculos têm uma incrível capacidade de adaptação, você conseguirá realizar o exercício com o tempo.

Assim como no movimento anterior, tente acrescentar repetições a cada dia, até chegar a cem repetições de manhã e cem à noite.

3. O especial para as coxas

Este movimento é duplamente interessante: é o que consome mais calorias (pois trabalha o maior músculo do corpo, o quadríceps) e intervém em uma área bastante propensa a celulite, que costuma ser flácida. Há

inúmeros exercícios que trabalham especificamente os músculos da coxa, mas este é o mais simples e eficaz.
• Coloque-se de pé, se possível, de frente para um espelho, com os pés ligeiramente afastados por um apoio firme e seguro, e apoie suas duas mãos sobre uma mesa ou um lavabo.
• Abaixe-se lentamente, flexionando os joelhos até que seus glúteos toquem os calcanhares.
• Suba novamente, até voltar à posição inicial.

Este movimento é difícil, mas extremamente eficaz. É, por definição, dependente de seu peso, de sua localização e de seu treinamento. Se for difícil realizá-lo no início, comece a esboçar o movimento, sem realizá-lo totalmente: faça o que puder e a progressão vai lhe servir para testar sua perda de peso e a repercussão disso em seu desempenho em atividades físicas.

Ao longo dos dias e das semanas, emagrecendo e treinando, virá o momento em que você poderá realizar seu primeiro movimento completo, depois um segundo, e assim por diante, até chegar a uma série de 15, o que indicará a proximidade de seu Peso Ideal. Assim que tiver completado a primeira série de 15, procure passar para vinte e, em seguida, para trinta. Respeite seu ritmo: um movimento a mais por semana já é suficiente.

4. O movimento de contração para os braços

Este movimento foi especialmente concebido para enrijecer a pele dos braços, que tende a ficar flácida. A maioria das mulheres com mais de 50 anos se queixa de ter os braços moles e a pele da parte inferior dos braços flácida ou caída. Este movimento contribui para a prevenção deste tipo de flacidez.

- De pé, diante de um espelho, com uma garrafa cheia de água nas mãos e os braços ao longo do corpo, dobre-os até tocar os ombros.
- Estenda os braços, levando-os à posição inicial.
- Continue, assim, o movimento, levantando os braços para trás e tentando levá-los à posição horizontal.
- Volte novamente à posição inicial.

A primeira fase deste movimento tonifica o bíceps, que ocupa a parte superior do braço, e o músculo anterior, a curva do ombro vista de frente. A segunda etapa tonifica a parte inferior do braço e a parte simétrica do ombro vista de costas.

Para enrijecer braços um pouco flácidos, são necessários 25 movimentos, de manhã e à noite.

5. O movimento da panturrilha

Este movimento é particularmente útil em caso de retenção de líquidos, problemas de circulação ou de celulite. Seu objetivo é fazer com que os músculos da panturrilha (as batatas da perna) desempenhem um papel de bomba, liberando, a cada flexão, o sangue dos membros inferiores para a parte de cima do corpo, por intermédio das veias das pernas.

• De pé, diante da quina de uma porta, com os braços na horizontal sobre cada soleira, incline o corpo para frente, dobrando os braços.
• Nesta posição ligeiramente inclinada, coloque-se na ponta dos pés, o mais alto possível, e desça até que a planta dos pés esteja totalmente encostada no chão.
• Repita este movimento 25 vezes, descanse e, depois, recomece uma nova série, uma terceira e uma quarta, para chegar a cem flexões de extensão do calcanhar.

Faça este movimento, se possível, uma vez por dia. Se sua circulação estiver muito comprometida, faça o exercício com meias de contenção especiais.

EXEMPLOS DE CARDÁPIOS DA FASE 2 (CRUZEIRO)

	Vôngoles mediterrâneos (ver página 210)	Mousse aerada de limão (ver página 250)	Coelho ao molho de mostarda e endívias na brasa (ver página 214)
	SEGUNDA-FEIRA	**TERÇA-FEIRA**	**QUARTA-FEIRA**
CAFÉ DA MANHÃ	> Bebida quente > Requeijão cremoso 0% de gordura > Uma panqueca de farelo de aveia (ver página 44)	> Bebida quente > 30 gramas de cereal de farelo de aveia sabor frutas vermelhas > Leite desnatado	> Bebida quente > Requeijão cremoso 0% de gordura > Uma panqueca de farelo de aveia
ALMOÇO	> Salada de espinafre > Cogumelos e ovo mole > Vôngoles mediterrâneos (ver página 210) > Compota de ruibarbo. (ver página 254)	> Kanis > Escalope de frango com ervas provençais > Cheesecake Dukan	> Legumes grelhados ou na frigideira (ligeiramente untada com papel-toalha) > Coelho ao molho de mostarda e endívias na brasa (ver página 214) > Compota de ruibarbo (ver página 254)
LANCHE	> Um iogurte com 0% de gordura, sem açúcar, com aroma de baunilha	> Requeijão cremoso com 0% de gordura e canela	> Porções de queijo minas frescal com 0% de gordura
JANTAR	> Camarões ao molho de curry e tomates-cereja > Blanquette de filé mignon com anis e erva-doce (ver página 218) > Iogurte natural com 0% de gordura	> Mexilhões marinhos > Picado de vitela com limão > Shiratakis com creme de leite light com limão > Mousse aerada de limão (ver página 250)	> Duo leve de peru e brócolis (ver página 162) > Arenque defumado cozido no leite com chucrute > Creme de tangerina com queijo frescal (ver página 260)
	→ PL	→ PP	→ PL

FASE 2 | O CRUZEIRO

Aqui, alternância de um dia de PP (proteínas puras)/um dia de PL (proteínas + legumes) + 2 colheres de sopa de farelo de aveia todos os dias (contadas nestes cardápios).

Creme de tofu com chocolate (ver página 252)

Carne com pimentões (ver página 232)

Rocambole de creme de Grand Marnier (ver página 264)

Trouxinhas de mexilhão com salmão defumado (ver página 152)

QUINTA-FEIRA	SEXTA-FEIRA	SÁBADO	DOMINGO
> Bebida quente > Flã sem açúcar (sabor a gosto) > Presunto magro	> Bebida quente > Omelete de claras de ovo > Picado de tomate e pepino > Fatias de peito de peru sem gordura	> Bebida quente > Iogurte 0% de gordura > Carpaccio	> Bebida quente > Requeijão cremoso 0% de gordura > Uma fatia de pão de especiarias (ver página 258)
> Camarões com maionese Dukan > Medalhões de linguado com salmão (ver página 212) > Creme de chá e tangerina	> Salada de pepino e rabanete > Carne com pimentões (ver página 232) > Um iogurte com 0% de gordura ou aromatizado, sem açúcar	> Ovo mimosa > Vieiras refogadas com espuma de baunilha (ver página 150) > Shiratakis com gengibre e molho shoyu > Mousse de café e amêndoas	> Salada de cenouras cozidas com alho e cominho > Assado de vitela com molho de mostarda e legumes ao forno > Sorvete de iogurte Dukan e compota de ruibarbo caseira
> Dois biscoitos de farelo de aveia sabor coco	> Iogurte com 0% de gordura	> Mingau com leite desnatado e 1 colher e meia de sopa de farelo de aveia	> Um biscoito de farelo de aveia sabor avelã
Noite de iniciação às proteínas vegetais > Quiche ao tofu defumado > Espetinhos de seitan marinados > Creme de tofu e chocolate (página 252)	> Salada de endívias com molho de requeijão cremoso com 0% de gordura e aroma de nozes com roquefort > Pizza quatro estações de atum Dukan > Panna cotta com gengibre e compota de ruibarbo	> Enrolados de presunto e queijo frescal light > Frango assado > Rocambole de creme de Grand Marnier (ver página 264)	> Salmão defumado > Filés de linguado com estragão e espinafre > Suflê gelado de chocolate (ver página 248)
→ PP	→ PL	→ PP	→ PL

Minha dieta
no dia a dia (fase 2)

A fase 2, de cruzeiro, é, por um lado, mais fácil de ser seguida mesmos em ocasiões sociais, pois inúmeros alimentos são permitidos. Entretanto, por outro lado, é bastante complexa, pois as tentações também são grandes e a facilidade de escapar da dieta é maior.

Em família
Se tiver filhos, prepare os cereais ou os amidos à parte: macarrão, arroz ou batatas. Prepare os legumes ao vapor e conserve uma parte para si. Em seguida, você pode refogar o resto na frigideira, para os mais gulosos. Se estiver sem tempo, eis uma pequena dica, bastante simples, para não fazer dois pratos diferentes: coloque os legumes ao vapor à mesa para todos e proponha um azeite (muito rico em ômegas 3, 6 e 9) para temperar. As crianças vão gostar de brócolis ou ervilhas com azeite extra virgem. Quanto a você, consuma os legumes sem óleo, tomando o cuidado de dispor à mesa os condimentos preferidos, a fim de que os legumes estejam a seu gosto.

No aperitivo
Se tiver convidados, as opções são maiores que na fase 1: encha recipientes para aperitivo com legumes picados e tomates-cereja. Assim, você poderá beliscar sem problemas. Entre kanis, camarões cinza, moluscos, fatias de presunto magro e legumes, a escolha é infinita. Aqui o perigo é por conta do molho, especialmente se você for um convidado. Os legumes já estão temperados? Passe longe. Evite, é claro, passar os legumes nos molhos, se estes forem propostos à parte. Enfim, se você for convidado para a casa de um amigo que adora guloseimas, folheados e salgadinhos, procure enganar a fome com um ovo cozido ou alguns kanis antes de ir e opte pela tática do copo na mão: encha-o de água com gás e tome cuidado para que seu copo permaneça cheio, a fim de que os anfitriões não o sirvam com champanhe! O simples fato de manter as mãos ocupadas o afastará dos salgadinhos...

No restaurante

No cardápio, você poderá escolher carne, peixe e verduras. Pergunte sempre ao garçom: como a vagem é preparada? Se for temperada, opte pela salada de alface e peça o molho à parte. Você pode levar em sua bolsa um pouco de molho vinagrete feito com óleo mineral para temperar seu próprio prato. Outra opção é misturar pedaços de carne com sua salada, para que não fique com aspecto e sabor sem graça.

Se o prato demorar a chegar, você pode beliscar enquanto espera: picles são considerados legumes. Afaste-se da cesta de pão (são proibidos). Se gostar de mostarda, pode colocar um pouco no canto do prato: sua acidez poderá ajudá-lo a esperar e cortar o apetite.

Perguntas e respostas

Na fase de cruzeiro, posso tomar iogurtes com 0% de gordura, mas com frutas?

Os iogurtes com 0% de gordura são autorizados sem restrições. Os iogurtes com 0% de gordura ditos "aromatizados" também são permitidos "à vontade". Quanto aos iogurtes com 0% de gordura que contêm pedaços de frutas ou compota, sim, é possível, mas em um máximo de dois iogurtes de frutas por dia, com a condição que sejam sem adição de açúcar e com 0% de gordura (1 iogurte com frutas com 0% de gordura = 1 alimento tolerado). Esta tolerância é válida quando o peso diminui de acordo com as expectativas. Em caso de lentidão na perda de peso, não passe de um iogurte deste tipo por dia. Em caso de estagnação, pare totalmente.

É possível consumir cenoura e beterraba todos os dias?

Cenoura e beterraba são legumes conhecidos por serem açucarados; e o são, efetivamente. Contudo, não contêm tanto açúcar quanto se pensa e, além disso, esses açúcares são de penetração rápida, especialmente as cenouras quando são cozidas.

Evite estes dois legumes se ficar tentado a consumi-los em grande quantidade e com muita frequência.

Na fase de cruzeiro, posso consumir mostarda? Em que quantidade?

Mostarda de Dijon forte ou tradicional sim, sem restrições. A mostarda tradicional é compatível com a mistura de vinagrete balsâmico.

Contudo, evite as mostardas muito açucaradas. Se tiver tendência a retenção de líquidos, não abuse da mostarda, pois ela contém muito sal.

Reintroduzi os legumes na dieta e minha perda de peso se tornou mais lenta. Vou engordar novamente?

É normal que sua perda de peso ocorra de forma mais lenta, mas fique tranquilo: você não vai engordar novamente. Na fase 1, as proteínas puras fazem com que se tenha uma perda rápida de gordura e água. Esta dieta é hidrófuga: as proteínas liberam a água. Quando você adiciona legumes à sua dieta, adiciona água e sais minerais. Assim, a dieta é bem menos hidrófuga. Você continuará a emagrecer, só que de maneira mais lenta, pois a água que havia liberado volta um pouco, o que tende a camuflar a perda de gordura. Na balança, você terá a impressão de estagnar, mas isto é apenas uma impressão.

No entanto, a alternância faz com que a dieta seja muito eficaz: assim que começar a consumir proteínas puras, a perda de peso reaparece. Não se sinta desencorajado se vir a balança parada, pois todo desvio alimentar desequilibra o sistema, trazendo-lhe verdadeiras razões para estagnar.

Balanço da fase 2

Você perdeu peso por patamares

Ao longo da fase 2, seu organismo funcionará com rapidez de cruzeiro: você emagrecerá mais lentamente do que na fase 1, mas, patamar após patamar, perderá o peso desejado. Ao longo dos dois primeiros meses, aos poucos, perderá seus primeiros 8 ou 10 quilos. Os patamares que constatar estão atrelados à reintegração dos legumes e à quantidade de água que trazem. Você não deve se sentir desencorajado diante da diminuição da velocidade da perda do peso, que é normal. Se estiver em período de menopausa, no fim de seu ciclo menstrual ou tiver feito inúmeras dietas antes desta, é possível que seu organismo resista um pouco mais, não ceda, é ele que vai acabar cedendo, e a melhor maneira de impor essa passagem é com a caminhada (uma hora por dia, três vezes por semana).

E se você sentir que a motivação está enfraquecendo...

Depois da euforia da fase 1, ao longo da qual você nunca tinha perdido todos esses quilos tão rápido, você achará que a fase 2 é mais lenta. Mas isso é só impressão. Você deve, então, dizer a si mesmo, repetidamente: seguindo as instruções ao pé da letra, obterei um emagrecimento durável e estável a longo prazo.

E o tempo não é seu inimigo. Não se esqueça de que o objetivo é aprender, assim que o peso sonhado for atingido, a mantê-lo com o passar dos anos.

Para ter êxito nesta etapa, concentre-se mais nas instruções que na balança. Copie novamente a lista de legumes autorizados, faça suas compras com antecedência, para não faltar nada, prepare os molhos adaptados, para que as calorias escondidas não entrem pouco a pouco em suas refeições. E mesmo que não esteja acostumado a cozinhar, tente, tanto para diminuir a frustração da dieta quanto para prolongar de maneira durável a estabilização de seus novos hábitos. Mantenha o foco em seu objetivo e não deixe de anotar o que consumiu durante o dia. Sua vigilância o agradecerá. Diga a si mesmo que quanto mais a lista de alimentos autorizados aumentar, maiores serão as tentações. Assim, maior será o risco de sua dieta seguir em direção a um fracasso próximo. Seja ainda mais vigilante que na fase 1.

Você cometeu desvios

E agora? Se perdeu um dia, adicione meia hora de caminhada por dia, ou passe às proteínas puras no dia seguinte, e tudo voltará ao normal. Não pense mais nisso e, principalmente, não se sinta mais culpado por isso.

Você abandonou... Mas nada está perdido

Respire fundo e retome o caminho em minha companhia. Está fora de questão que você desista no início. Se tiver deixado para lá, é porque tem um motivo. Normalmente, é uma dificuldade, um grande estresse, uma pequena depressão, uma perda de motivação. A única coisa que importa é não se deixar abater pelo desvio nem perder os benefícios adquiridos, o fruto de seus esforços. Ele é seu, você deve protegê-lo. Para isso, se tiver realmente de parar, passe pela saída certa: vá imediatamente à fase 3, de consolidação, respeitando a instrução de duração de dez dias por quilo perdido. Em seguida, passe à estabilização. E, assim que a motivação voltar, você ficará orgulhoso de não ter afundado e estará pronto para começar de novo, até atingir o objetivo estabelecido.

A fase de cruzeiro em resumo...

Você poderá conservar em suas refeições as proteínas autorizadas na lista da fase 1 (ver página 40) e **consumi-las à vontade**, como sempre.

Adicione legumes às suas refeições.
Tomate, pepino, rabanete, espinafre, aspargo, alho-poró, vagem, couve, cogumelo, aipo, funcho, todos os tipos de alface, inclusive endívias, acelga, berinjela, abobrinha, pimentão e até mesmo cenoura e beterraba, com a condição de que estas duas últimas não sejam consumidas em todas as refeições.

Assim como as proteínas, **os legumes podem ser consumidos à vontade**, sem restrição de quantidade.

Desconfie dos molhos de salada: os óleos são proibidos.

Você deve caminhar 30 minutos por dia
e virar o rei dos exercícios físicos.
Se o peso começar a estagnar, passe a
60 minutos de caminhada por dia, durante três dias.

A alternância
Em fase de cruzeiro, alterne períodos
de proteínas com legumes e períodos de
proteínas sem legumes, até a obtenção
do Peso Ideal.

Escolha um ritmo de alternância e mantenha-o.
Um dia de proteínas puras, um dia de proteínas +
legumes ou cinco dias/cinco dias. Se não tiver muito
peso a perder, poderá optar pela alternância de dois
dias/cinco dias ou dois dias de proteínas puras e cinco
dias de proteínas + legumes. Ou, ainda, para a gordura
localizada, apenas dois dias de proteínas puras por
semana e cinco dias sem qualquer dieta.

**Você deve continuar a consumir 2 colheres
de sopa de farelo de aveia por dia**
(e 1 colher de farelo de trigo, se necessário).

Fase 3: **a consolidação**

Quando tiver atingido seu Peso Ideal,
passe para a fase de consolidação,
transição indispensável entre a dieta e a não dieta.

Os objetivos da fase 3

Uma consolidação de dez dias por quilo perdido

Você consolidará o peso obtido fazendo dez dias de dieta em fase de consolidação para cada um dos quilos que tiver perdido. Em outras palavras, se perdeu 5 quilos, deverá seguir esta fase por cinquenta dias. Se tiver perdido 30 quilos, deverá segui-la por trezentos dias. Mas fique tranquilo: mesmo que a consolidação seja um período delicado, esta fase permite um grande acesso a todos os alimentos úteis e necessários ao homem, e mesmo a grandes momentos de prazer, como as duas refeições de gala por semana.

A Escada Nutricional

Reaprenda a comer para não mais engordar, subindo os sete degraus de reintrodução dos alimentos.

#	Degrau	Categoria
7	REFEIÇÃO DE GALA	→ PURO PRAZER
6	FARINÁCEOS	→ ENERGÉTICOS
5	QUEIJO	→ PRAZER E NUTRIÇÃO
4	PÃO	→ ÚTIL
3	FRUTAS	→ IMPORTANTES
2	LEGUMES	→ ESSENCIAIS
1	PROTEÍNAS	→ VITAIS

A Escada Nutricional é um dos conceitos-chave do Método Dukan. Durante toda esta fase, é importante que a pessoa que acaba de alcançar o Peso Ideal reintroduza alimentos, aproveitando seu valor e sua importância para o futuro da proteção de seu peso. A Escada Nutricional é composta por sete degraus, indo do mais crucial para o controle do peso até o mais importante para o prazer, que lhe dará uma compreensão da importância das grandes famílias de alimentos. Esta compreensão não é teórica, mas prática, concreta e desenvolvida para emagrecer e estabilizar o peso.

Mentalmente, o usuário, depois de ter usado esta escada durante as três primeiras fases (ataque, cruzeiro e consolidação), pode se situar em cada um dos degraus, sabendo exatamente sua posição na ordem de importância dos alimentos. Quanto mais baixo for o degrau, mais o alimento é importante no controle do peso, o que lhe confere os sinais de referência cruciais para o futuro da estabilização. Deste modo, apenas com o primeiro degrau a pessoa emagrece de maneira fulminante. Adicionando-se o segundo, emagrece regularmente. Com o terceiro e o quarto, simplesmente emagrece; do quinto ao sétimo degrau, pode continuar a afinar a longo prazo de maneira muito leve.

Uma fase de transição capital

Durante as duas primeiras fases, a de ataque seguida pela de cruzeiro, você emagreceu e seu corpo lutou para conservar suas reservas, mas perdeu a partida.

Durante este período de luta, ele desenvolveu uma dupla reação sobre a qual você foi advertido: proveito + economia.

- Proveito acima do valor: quanto mais você emagrece, mais seu corpo eleva o proveito que tira de cada parcela de alimento. No estágio em que se encontra, este proveito se aproxima dos 100%.
- Economia impelida: quanto mais você emagrece, mais seu corpo procura reduzir seus gastos metabólicos, hormonais, digestivos, motores. Em consequência, é essencial não fornecer a este corpo ávido e econômico alimentos muito calóricos, dos quais faria um proveito extremo.

Uma luta contra o efeito sanfona

Felizmente para você, esta atitude de extrema reatividade se atenua com o tempo, pois seu corpo percebe que você começa a realimentá-lo de maneira mais aberta, variada e energética. Durante esse tempo, você está vulnerável. Com a experiência, pude avaliar a duração de tal vulnerabilidade, que é proporcional ao peso perdido.

Duração da consolidação: dez dias por quilo perdido. Ora, é simples. Se você perdeu 5 quilos, sua consolidação deverá durar cinquenta dias; se perdeu 10, deverá durar cem dias.

Por que o efeito sanfona acontece?

Seu corpo reage ao saque de suas reservas reduzindo progressivamente seus gastos de energia e, principalmente, intensificando ao máximo o rendimento e a assimilação, isto é, o proveito de todo alimento consumido. É como se você estivesse sentado em um vulcão, em posse de um corpo que apenas espera o momento propício para refazer suas reservas perdidas. Uma refeição farta, que teria tido pouco efeito antes do início da dieta, tem grandes consequências ao final.

Quanto tempo dura o efeito sanfona?

O efeito sanfona continua durante toda a fase de consolidação, ou seja, dez dias por quilo perdido. Instruções de tempo muito vagas em fase de consolidação e uma euforia vinculada à vitória dos quilos perdidos poderiam colocar a dieta em perigo, caso esta instrução de tempo não fosse perfeitamente seguida.

Regras da fase 3

Durante toda a duração da fase de consolidação do peso perdido, você seguirá esta dieta da maneira mais fiel possível.

Duração: dez dias por quilo perdido
Lembre-se de que 50% dos fracassos em dieta acontecem nos três primeiros meses que se seguem à chegada ao peso desejado.

Note também que esta fase de consolidação propõe uma alimentação equilibrada, mas não é, de forma alguma, destinada a fazê-lo perder peso. Seguir as instruções da fase 3 é assegurar a consolidação do peso atingido. Não negligencie as regras e, principalmente, não desrespeite a regra do tempo: dez dias por quilo perdido representam mais ou menos o tempo que seu corpo levará para esquecer e fazer o luto pelo peso anterior. Ao longo deste período, você educará seu corpo e seu apetite lentamente, dando a ele um pouco de liberdade, mas apenas um pouco: uma liberdade condicional!

As duas partes da fase de consolidação
Para não correr o risco de uma reintrodução muito rápida para alguns, esta fase se divide em duas metades (por exemplo, para cem dias de consolidação, cinquenta dias de primeira parte e cinquenta dias de segunda parte). Na primeira parte, uma única fruta e um único farináceo são permitidos por dia, além de uma única refeição de gala por semana. Na segunda parte, passamos a duas frutas, dois farináceos e duas refeições de gala.

A reintrodução de alimentos proibidos, mas em quantidade bastante precisa
Além dos alimentos proteicos e dos legumes da fase 2, o pão, as frutas, o queijo e certos farináceos finalmente são autorizados. O acesso a certos pratos ou alimentos prazerosos também será possível. Mas cuidado: você deve respeitar uma ordem de introdução estrita e uma bateria de instruções suficientemente precisas para evitar qualquer deslize.

• **Uma porção de frutas por dia, depois duas**
Na prática, todas as frutas, são permitidas, menos a uva, a banana, a cereja e as frutas secas. As frutas são alimentos saudáveis, ricos em vitaminas, mas também com alto teor de açúcares mais ou menos rápidos. Assim, seu consumo deve ser restrito e, por enquanto, contente-se com uma porção por dia na primeira parte da consolidação, depois duas, na segunda parte. O consumo de frutas não é inofensivo: é comum esquecermos que elas são naturalmente providas de açúcares diretamente assimiláveis. Considere que 1 porção = 1 unidade: uma maçã, uma pera, uma laranja, uma mexerica, um pêssego, uma nectarina, uma tangerina. Para as frutas pequenas, conte por copo: um copo de morangos ou de framboesas. Para as muito grandes (melão, melancia), corte-as ao meio. Para as frutas de tamanho médio, conte duas: dois damascos, duas ameixas.

• **Duas fatias de pão integral por dia**
Podem ser consumidas a qualquer hora: no café da manhã, no almoço, em sanduíche, com carne fria ou presunto, ou ainda à noite, com uma porção de queijo. Uma porção corresponde a 50 gramas.

• **40 gramas de queijo por dia**
Você poderá consumir todos os queijos de massa dura e evite os queijos de massa fermentada, como o camembert, o roquefort e o queijo de cabra. Uma porção corresponde a 40 gramas. Para dar uma ideia do pedaço de queijo a ser cortado, pense em uma porção de polenguinho, que pesa 25 gramas. Você pode comer um pouco menos de dois polenguinhos. Cuidado: preste atenção para não comer a porção de uma só vez, a fim de evitar os deslizes nas quantidades e para não beliscar.

• **Uma porção de farináceos por semana na primeira parte da consolidação e depois, duas porções na segunda parte**
> As massas alimentares
Este é o farináceo mais adaptado à proposta da dieta, pois as massas são fabricadas a partir do trigo duro, cuja textura vegetal é bastante resistente. Tal resistência torna a digestão mais lenta. Hoje em dia, existem também em farinha integral. Além disso, massas são alimentos apreciados por todos e raramente estão vinculadas à noção de "dieta". É fácil incorporar as massas em suas refeições. Cozinhe-as *al dente* e tome cuidado com os temperos: a manteiga, o óleo, o creme de

---

Seu cuscuz marroquino, sem adição de gorduras

Disponha a sêmola em um recipiente de barro e adicione água aromatizada com um caldo em cubo ou em pó. Cubra a sêmola com a água – seu nível deve passar a sêmola em 1 centímetro. Deixe o grão embeber-se e inchar durante 20 segundos, depois leve ao micro-ondas durante 1 minuto. Tire o prato do forno e misture com um garfo, para evitar que os grãos fiquem grudados... Leve o preparo novamente ao micro-ondas durante 1 minuto e está pronto! Sirva com carne e legumes.

Coma lentamente e pense no que está comendo

Nesta fase, voltamos a incluir, principalmente, alimentos que proporcionam prazer. Saboreie-os! O fato de comer lentamente diminui seu apetite: após 20 minutos, a sensação de saciedade aparece. Você também aprenderá a apreciar texturas e sabores até então proibidos. Habitue-se a reservar um tempo para comer, especialmente se, antes da dieta, você tinha o hábito de comer com gula.

leite ou o queijo ralado dobram o valor calórico de seu prato de massa. Use uma porção razoável (220 gramas da massa cozida) e escolha um tempero leve: um bom molho de tomates frescos com algumas cebolas e condimentos.

> As sêmolas de cuscuz, a polenta, o triguilho, os grãos de trigo integrais

São autorizados em porções de 220 gramas.

> Arroz integral

Tão interessante quanto os demais, sempre em uma dose de 220 gramas. O arroz branco e as batatas são os amidos menos lentos e sua porção não deve passar de 125 gramas. São açúcares um pouco "rápidos" demais por enquanto.

> Lentilhas

Contêm um dos açúcares mais lentos que existem, produzem grande sensação de saciedade e são extremamente ricas em ferro. Você pode consumir uma porção de 220 gramas. Não adicione gordura.

Os feijões e as ervilhas são autorizados nas mesmas proporções, sem adição de gordura.

• **Uma porção de pernil de cordeiro ou assado de porco por semana**
Fuja do primeiro pedaço do pernil de cordeiro como o diabo foge da cruz, porque é muito gorduroso, e sua gordura de superfície, muito cozida, é cancerígena. Quanto ao assado de porco, faça a distinção entre o filé e o carré, que é muito gorduroso. Você pode consumir livremente o presunto magro, mas o presunto cru continua proibido.

Uma refeição de gala por semana na primeira parte da consolidação e duas na segunda

Você poderá fazer uma refeição de gala com toda a liberdade uma vez por semana (e depois duas vezes, na segunda parte), sem se preocupar com os alimentos autorizados ou não. Trata-se de apenas uma (depois duas) refeições por semana, e não um (depois dois) dias por semana... Meus pacientes muitas vezes ficam confusos. Uma refeição de gala por semana é uma entrada à sua escolha (por que não um pouco de *foie gras*?), um prato principal (por que não um risoto?) e uma sobremesa (por que não uma torta de maçã?) e uma taça de vinho. Mas cuidado! Tudo isto é seu com uma condição precisa: não se sirva duas vezes do mesmo prato. Tudo se consome e se bebe "a varejo". E também, nunca faça duas refeições de gala consecutivas. Faça um intervalo de ao menos um dia entre as duas, para que seu organismo tenha tempo de eliminar o excesso.

Um dia de proteínas puras por semana

Este dia de proteínas puras será a garantia de que você não voltará a ganhar peso. Assim, poderá consumir unicamente as proteínas da fase de ataque (ver lista da página 40), sem limite de quantidade, mas também sem recorrer aos alimentos tolerados. Este é mais um pequeno esforço, e a única obrigação da fase de consolidação. Respeite ao máximo a quinta-feira como o dia de proteínas puras.

E o farelo de aveia?

Agora, você pode passar a consumir 2 colheres e meia de sopa por dia.

O que comer durante a fase 3?

Seu leque de alimentos autorizados enfim aumentou! Você voltará a ter o prazer de comer certos alimentos que há muito tempo não comia.

Evidentemente, você pode comer as proteínas da fase 1 (ver lista da página 40), assim como todos os legumes reintroduzidos na fase 2 (ver lista da página 69). Além disso, você pode adicionar os alimentos a seguir, respeitando a frequência e as quantidades indicadas nas regras. E poderá comer os alimentos "proibidos" nas refeições de gala.

Frutas (uma porção por dia, depois duas)

Autorizadas	Proibidas
Damasco	Amêndoa
Nectarina	Banana
Tangerina	Amendoim
Morango	Cereja
Framboesa	Avelã
Melão	Nozes
Amora	Castanha de caju
Laranja	Pistache
Mexerica	Uva
Pêssego	
Pera	
Maçã	
Ameixa	

Pão (duas fatias por dia)

Autorizados	Proibidos
Pão integral	Pão francês
Pão de farelo de trigo e de aveia	Pão branco
	Pão de forma

Farelo de trigo e aveia

2 colheres e meia de sopa por dia de farelo de aveia
1 colher de sopa de farelo de trigo (facultativo)

Konhaku

Shiratakis, massas e arroz de konhaku

Queijos (uma porção por dia)

Autorizados	Proibidos
Beaufort	Brie
Comté	Camembert
Édam	Queijo de cabra
Emmental	Roquefort
Gouda	(Massas moles)
Mimolette	
Tomme de Savoie	
(Massas duras)	

Farináceos (uma vez por semana, depois duas)

Autorizados
- Triguilho
- Sêmola de trigo
- Feijões de todos os tipos
- Grãos de trigo pré-cozidos
- Lentilhas
- Massas
- Ervilhas
- Ervilhas cortadas
- Polenta
- Batata
- Arroz branco
- Arroz integral

Proibidos
- Batatas chips
- Fritas
- Batatas *sauté*

Carnes (ver lista da página 40, à qual se adicionam)

Autorizadas	Proibidas
Pernil de cordeiro	Carré de porco
Filé de porco	Presunto com capa de gordura
Presunto defumado	Presunto cru
	Partes gordurosas do pernil

Administrando
as refeições de gala

Uma ou duas vezes por semana, você terá a possibilidade de fazer uma boa refeição, da maneira que quiser, com toda a liberdade. Cuidado, não é um "dia de gala", mas uma refeição de gala. Ao longo destas duas refeições, você terá a possibilidade de consumir qualquer tipo de alimento, especialmente aqueles que mais lhe fizeram falta durante as duas primeiras fases da dieta.

Organize-se

A refeição de gala pode ser feita em qualquer uma das duas refeições principais do dia, com preferência para o jantar, para que você tenha tempo de aproveitar e evitar o estresse do ambiente profissional, que o faria perder todo o prazer. Programe sua semana: se for convidado a comer na casa de alguém ou for receber amigos durante o fim de semana, opte por uma refeição de gala durante estes dias. Na segunda parte da consolidação, tome cuidado para que estas refeições não sejam muito próximas uma da outra...

Duas condições

Você pode comer de tudo, mas:
- não pode se servir duas vezes;
- nunca deve fazer duas refeições de gala consecutivas.

Intercale sistematicamente com uma refeição da fase 3. Se, por exemplo, tiver escolhido o almoço de terça para a primeira refeição de gala, não poderá ter outra na terça à noite.

Você pode comer tudo, mas "a varejo":
- uma entrada
- um prato principal
- uma sobremesa ou queijo
- uma taça de vinho

Chucrute? *Paella*? Bolo de chocolate? O cardápio é livre. Mas tudo deve ser consumido uma única vez. Cuidado com o aperitivo: se tomou uma taça de champanhe antes, não poderá tomar o vinho ao longo da refeição.

Saiba "fechar a porta" depois de uma refeição de gala

Diferentemente do que se poderia pensar, o risco destes dois momentos de prazer não está na composição da refeição em si, mas na refeição seguinte. Na verdade, com um jantar de gala, você abre a porta para a liberdade e o prazer se convida novamente à sua mesa. Os obstáculos vêm, frequentemente, ao longo da refeição seguinte, quando é preciso contornar a dificuldade de não se entregar aos prazeres. O mais simples é se lembrar desta observação, anotá-la na agenda em um dia pós-festa e retornar sem problemas à fase de consolidação.

Tenha prazer!

Estes cardápios livres também permitem um aprendizado do prazer que deve ser controlado. Se, antes de iniciar esta dieta, você tinha o infeliz hábito de beliscar assistindo televisão, ou de cair dentro de um pacote de pipoca de micro-ondas, estas duas refeições existem para iniciá-lo em uma nova forma de prazer. Saboreie, mastigue lentamente, tome seu tempo e pense no que está comendo. O prazer e a gula são duas maneiras muito diferentes de apreciar a comida. Aqui, queremos abrir as portas ao prazer, e não a um modo desregrado de absorver alimentos. A longo prazo, uma maneira compulsiva de se alimentar fatalmente levará sua dieta ao fracasso.

Duas dicas para evitar um segundo prato

• No restaurante, sempre lhe servem um prato com quantidade estabelecida. Você não pede que lhe sirvam novamente... Em casa, aja como em um restaurante. Encha seu prato, mas não se sirva duas vezes.
• Você pode preparar pratos individuais e não levar todo o preparo à mesa, para não se sentir tentado.

A quinta-feira
de proteínas puras

Ao longo deste dia, você deverá consumir apenas as proteínas mais puras possíveis, como se estivesse novamente na fase 1 de sua dieta. A lista de alimentos autorizados é, então, a mesma desta fase (ver página 40).

Por que escolher a quinta-feira?
Escolhi a quinta de maneira arbitrária. Se este dia não for bom para você de modo algum, pois, em seu trabalho pode ser difícil consumir proteínas puras, você poderá escolher um outro dia, mas atenção: estabeleça um dia definitivo, e não desrespeite a regra. Se seu dia de proteínas puras for flutuante, toda a fase de consolidação está em perigo.

E se eu não pude respeitar minha quinta-feira proteica?
Pode acontecer de a dieta ser impossível em alguma semana particular, mas cuidado, isto não deve se tornar um hábito. Neste caso, compense no dia seguinte. Mas saiba que abandonar está a apenas um passo de compensar. Outra solução pode ser antecipar o problema: se em sua agenda houver uma quinta-feira com um almoço de negócios ou um jantar com amigos, programe seu dia de proteínas para a quarta. Assim, você manterá o controle deste plano de dieta. Contudo, novamente, saiba que seu organismo adora os hábitos e detesta os imprevistos. Quanto mais seu modo de alimentação for regular ao longo da semana, menos você corre o risco de viver o efeito sanfona do qual falamos na página 93.

Por que este dia é indispensável?
A fase de consolidação é delicada. O efeito sanfona pode acontecer a qualquer momento enquanto você não tiver cumprido esta etapa, cuja duração será proporcional à quantidade de peso perdido. Este dia proteico age como uma fortaleza diante do efeito sanfona, ajudando na estabilização do peso. Por este motivo, este dia não é negociável sob qualquer hipótese. Não se esqueça de que a fase de consolidação é

um período em que seu organismo está altamente reativo. Ao menor passo em falso, o efeito sanfona aparecerá. A quinta-feira de proteínas funciona como medida de segurança.

A quinta-feira proteica é para toda a vida

Como veremos na fase de estabilização, as quintas das proteínas puras são a primeira instrução não negociável que você deverá conservar para sempre quando terminar este livro e finalizar sua dieta. Você estava com sobrepeso, e seu corpo se lembra disto. Digamos que, por enquanto, seu organismo está em "liberdade condicional". Mais tarde, na fase de estabilização, você terá novamente a espontaneidade alimentar, mas nunca deverá esquecer que seu corpo, durante um período de sua vida, esteve com sobrepeso. A quinta-feira será sua proteção e, sozinha, será capaz de impedi-lo de desviar-se, pois você poderá comer como todo mundo durante os outros seis dias da semana. A partir de agora, considere a quinta-feira uma grande amiga que o acompanhará para o resto de sua vida, com a condição de que você nunca a abandone.

Coma mais peixe!

O peixe é menos calórico que a carne. Os peixes magros (linguado, pescada, bacalhau fresco, merluza) não chegam a ter 100 quilocalorias por uma porção de 100 gramas, enquanto o corte mais magro do boi tem 160 quilocalorias. Quanto aos peixes mais gordurosos, como o salmão, não passaram de 200 quilocalorias, enquanto a carne gordurosa tem cerca de 340, e certos cortes do porco podem chegar até mesmo a 480 quilocalorias. Deste modo, o peixe mais gorduroso tende a ser menos calórico que um bife bovino tradicional. Por este motivo, o peixe é especialmente recomendado em todas as dietas emagrecedoras, sob a condição expressa de que se evite seu cozimento com fritura, o que aumenta muito seu teor calórico.

EXEMPLOS DE CARDÁPIOS DA FASE 3 — PRIMEIRA PARTE

	Lasanha de berinjela com tofu (ver página 230)	Mousse de soja e morango (ver página 278)	Camarões e frango com leite de coco e especiarias (ver página 242)
	SEGUNDA-FEIRA	**TERÇA-FEIRA**	**QUARTA-FEIRA**
CAFÉ DA MANHÃ	> Bebida quente > Duas fatias de pão integral com uma colher de pasta Dukan	> Bebida quente > 45 gramas de cereal de farelo de aveia Dukan sabor caramelo > Leite desnatado > 40 gramas de emmental	> Bebida quente, duas fatias de pão de farelo de aveia ou trigo > Requeijão cremoso com 0% de gordura
ALMOÇO	> Assado de porco (filé) ou pernil de cordeiro > Vagens > 60 gramas de gouda (10 a 20% de gordura)	> Salada de camarão > Bife grelhado > Tomates provençais ao forno > Requeijão cremoso 0% de gordura e canela	> Tarteletes de farelo de aveia e tofu > Tomates recheados com carne > Uma porção de melão
LANCHE	> Fatias de frango sem gordura + pão de forma Dukan	> Duas fatias de pão integral + um iogurte com 0% de gordura aromatizado	> 40 gramas de mimolette
JANTAR	> Salada de cenoura com limão > Lasanha de berinjela com tofu (ver página 230) > *Créme brûlée* de baunilha e avelã com morango (ver página 268)	> Ratatouille > Frango com leite de coco, vagens e tofu (ver página 240) > Mousse de soja e morango (ver página 278)	> Mousseline aos dois salmões > Camarões e frango com leite de coco e especiarias (ver página 242) > Pequenos flãs

FASE 3 | A CONSOLIDAÇÃO 105

Uma fruta por dia, um farináceo, uma refeição de gala por semana. Não se esqueça das 2 colheres e meia de sopa de farelo de aveia todos os dias (contadas nestes cardápios).

Ovos mexidos com ovas de salmão (ver página 146)	Clafoutis de pistache e damasco (ver página 272)	Vieiras com tomate recheado (ver página 238)	Panna cotta de baunilha, xarope balsâmico e framboesa (ver página 276)
QUINTA-FEIRA (PP)	**SEXTA-FEIRA**	**SÁBADO**	**DOMINGO**
> Bebida quente > Iogurte com 0% de gordura > Uma panqueca de farelo de aveia (ver página 44)	> Bebida quente > Duas fatias de pão integral > Requeijão cremoso 0% de gordura	> Bebida quente > Requeijão cremoso 0% de gordura > Duas fatias de pão integral > 60 gramas de queijo (10 a 20% de gordura)	> Bebida quente > Duas fatias de pão integral > Requeijão cremoso 0% de gordura > Um ovo cozido
> Ovos mexidos com ovas de salmão (ver página 146) > Coxa de frango assada e shiratakis cozidos com caldo em pó com 0% gordura > Um iogurte com 0% de gordura	> Salada de beterraba e aipo > Endívias com presunto e molho bechamel Dukan > 40 gramas de édam	> Salada de tomates > Vieiras com tomate recheado (ver página 238) > Shiratakis com molho de limão e gengibre > Maçãs ao forno com canela	> Variante de legumes ao vinagre de cidra > Espaguete à bolonhesa > Panna cotta de baunilha, xarope balsâmico e framboesa (ver página 276)
> Kanis	> Panqueca de farelo de aveia e cacau sem açucar	> Mingau com 2 colheres e meia de farelo de aveia	> Três biscoitos de farelo de aveia sabor coco
> Bocadas de atum > Um flã sem açúcar sabor baunilha + um iogurte com 0% de gordura ou aromatizado sem açúcar	> Salada de picado de funcho com limão > Abobrinha recheada com peito de frango > Clafoutis de pistache e damasco (ver página 272)	**REFEIÇÃO DE GALA** (sugestão de refeição espanhola) > Presunto espanhol (serrano ou *bellota-bellota*) > *Paella* > Creme catalão > Uma taça de sangria	> Copinhos refrescantes (ver página 174) > Atum grelhado e legumes tropicais grelhados > Sorvete de iogurte Dukan

EXEMPLOS DE CARDÁPIOS DA FASE 3 SEGUNDA PARTE

	Shiratakis de konhaku com camarões à chinesa (ver página 188)	Compota de ruibarbo (ver página 254)	Espetinhos de legumes e tofu aos seis sabores (ver página 198)
	SEGUNDA-FEIRA	**TERÇA-FEIRA**	**QUARTA-FEIRA**
CAFÉ DA MANHÃ	> Bebida quente > Duas fatias de pão integral > 60 gramas de queijo (10 a 20% de gordura) > ½ mexerica	> Bebida quente > 45 gramas de cereal de farelo de aveia Dukan sabor frutas vermelhas > Um copo de frutas vermelhas > Requeijão cremoso 0% de gordura	> Bebida quente > Duas fatias de pão de farelo de aveia ou trigo > Iogurte com 0% de gordura com aroma de mel e nozes > Duas figas frescas
ALMOÇO	> Salada de broto de feijão e frango > Shiratakis de konhaku com camarões à chinesa (ver página 188) > Uma porção de lichias frescas (sete) > 40 gramas de emmental	> Salada de endívia e beterraba > Carré de cordeiro com ervas e vagem > Requeijão cremoso 0% de gordura e compota de ruibarbo (ver página 254)	> Cogumelos à grega > Mussaka de berinjela caseira > Um iogurte natural com 0% de gordura
LANCHE	> Mingau com 2 colheres e meia de sopa de farelo de aveia	> Duas fatias de pão integral + 40 gramas de gouda	> Uma panqueca de farelo de aveia (ver página 44)
JANTAR	> Salada de funchos com limão > Duo caseiro de pimentões recheados com carne > Flã sem açúcar de sabor à escolha > Compota de maçãs caseira	**REFEIÇÃO DE GALA** (sugestão de refeição oriental) > Kemia (combinação de saladas orientais misturadas) > Cuscuz marroquino de carne e legumes > Um doce oriental > Uma taça de vinho rosé	> Mil-folhas de salmão fresco e salmão defumado com molho de limão e endro > Espetinhos de legumes e tofu aos seis sabores (ver página 198) > *Petit gâteau* de chocolate Dukan

FASE 3 | A CONSOLIDAÇÃO 107

Duas frutas por dia, dois farináceos e duas refeições de gala por semana. Não se esqueça das 2 colheres e meia de sopa de farelo de aveia todos os dias (contadas nestes cardápios)

Panqueca de farelo de aveia (ver página 44)

Salada japonesa de pepino e omelete de shiratakis de konhaku (ver página 192)

Laticínios

Blanquette vegetariana com seitan (ver página 200)

QUINTA-FEIRA (PP)	SEXTA-FEIRA	SÁBADO	DOMINGO
> Bebida quente > Omelete de clara de ovo > Uma panqueca de farelo de aveia (ver página 44)	> Bebida quente > Duas fatias de pão integral > Copo de morangos > Requeijão cremoso 0% de gordura	> Bebida quente > Iogurtes com 0% de gordura > Duas fatias de pão integral > Copo de framboesas	> Bebida quente > Duas fatias de pão integral > Requeijão cremoso 0% de gordura > Um kiwi
> Fígado de galinha com vinagre balsâmico > Bife grelhado com ervas > Requeijão cremoso 0% de gordura	> Cenoura ralada com limão > Salada japonesa de pepino e omelete de shiratakis de konhaku (ver página 192) > Um iogurte natural ou aromatizado sem açúcar com 0% de gordura	> Salada de palmito > Linguado grelhado e tomates provençais > Compota caseira de maçã e ruibarbo	> Salada de tomate > Escalopes de peito de frango > Tagliatelle de espinafre > Um iogurte com 0% de gordura, natural ou aromatizado sem açúcar
> Kanis	> Panqueca de farelo de aveia com cacau	> Mingau com 2 colheres e meia de sopa de farelo de aveia	> Três biscoitos de farelo de aveia sabor avelã Dukan
> Carpaccio de salmão marinado no limão > Posta de atum grelhada com gengibre e molho shoyu > Um sorvete de iogurte Dukan	> Legumes crus (couve, cenoura ralada, tomate, funcho...) > Raclette Dukan com carpaccio > 125 gramas de batata > 40 gramas de raclette e requeijão > Uma pera	REFEIÇÃO DE GALA (sugestão de refeição do Sudoeste da França) > Uma fatia de *foie gras* > Um pato confit com batatas > Uma mousse de chocolate > Uma taça de vinho tinto	> Alcachofra com vinagrete > Blanquette vegetariana com seitan (ver página 200) > Sorvete de iogurte Dukan

Minha dieta
no dia a dia (fase 3)

Em família
Você finalmente pode comer massas, lentilhas e frutas; agora, é mais fácil participar das refeições em família. Se você respeitou bem as quantidades, pode comer como todo mundo, ou quase. Sirva seu prato com a massa antes dos outros, para ter certeza de que não ultrapassará a quantidade autorizada. Evidentemente, você não poderá se servir novamente. Se seus filhos estão cansados do molho de tomate na massa, é fácil propor dois molhos à parte, para que cada um se sirva como preferir. Não deixe de colocar o azeite e a manteiga à mesa: assim, você acostumará seus filhos a novos sabores, excelentes para a saúde. E prepare os condimentos para você!

No aperitivo
Você pode, enfim, comer uma porção de queijo, de farináceos e duas fatias de pão na fase de consolidação. Porém, durante um aperitivo, é impossível contar o que absorvemos: quantos cubinhos de queijo você pode consumir? Quantos canapés com base de pão? É inútil tentar contar o que quer que seja. Guarde os "extras" autorizados (pães, farináceos etc.) para momentos calmos e regulares. Decida, por exemplo, comer pão no café da manhã ou à noite, com um pedaço de queijo. No aperitivo, assim como no restaurante, volte à fase 2: proteínas + legumes. Assim, você não corre o risco de comer o que não deve: estão autorizados os tomates-cereja, kanis, pequenos pedaços de legumes crocantes, água gaseificada e refrigerante Zero.

Lembre-se de que, no aperitivo, enquanto você ri e conversa com seus amigos, não conseguirá estimar o quanto consome. Por isso, é perigoso tentar aventurar-se em um cálculo, pois você corre o risco de estragar sua noite e de fracassar em sua dieta.

No restaurante

Para não se enganar, pense na fase de proteínas + legumes quando estiver no restaurante: realmente é muito difícil respeitar as instruções e pensar em novos alimentos autorizados enquanto se conversa com os amigos. Proíba-se de comer pão e massas, antes de mais nada: o pão é branco e as massas não poderão ser temperadas a seu gosto. Se, ao olhar o cardápio, você estiver com a cabeça em proteínas + legumes, não terá qualquer dificuldade. O salmão defumado é, por exemplo, uma chave-mestra universal. Como acompanhamento, vagens e espinafre são excelentes, assim como todas as saladas.

O vinho, o pão e a sobremesa não são autorizados, a não ser que você decida escolher a ida ao restaurante como refeição de gala. Peça uma taça de vinho. No restaurante, você não poderá se servir duas vezes, o que é uma vantagem, pois esta é uma das condições para as refeições de gala. Para os outros dias, será preciso aprender a dizer não e tomar um café no lugar da sobremesa. Não se esqueça de que você pode tomar refrigerante Zero, o que o ajudará na falta de doces.

Para uma dieta feliz, faça como François Mauriac

Frágil, o extremo oposto do esportista, François Mauriac tinha o hábito de pular na frente do espelho de corpo inteiro. Pulava em pequenas e leves flexões, a princípio, para chegar às pernas e, progressivamente, começou a pular cada vez mais alto.

Achei essa ideia surpreendente e a adotei. Comecei a pular quando estava alegre, como fazia François Mauriac, e percebi que este exercício tornava minha alegria ainda mais intensa!

Para terminar, percebi que a alegria – que, por definição, é passageira – se prolongava com este esforço. Assim, procurei testar esse tipo de salto isoladamente, sem associá-lo à alegria. E percebi que pular me causava alegria.

Desde então, criei pequenos momentos de alegria e faço a associação nos dois sentidos.

E, ao mesmo tempo, tonifico os quadríceps, os maiores consumidores de calorias, e controlo meu peso.

Perguntas e respostas

Por que devo contar dez dias por quilo perdido?

Por que dez e não nove? Ou 11? Na época em que concebi minha primeira dieta de ataque, tive resultados espetaculares, mas efêmeros. O peso perdido tinha tendência a voltar. Assim, introduzi novos alimentos, mantendo a vigilância e o controle. Estudando minhas estatísticas sobre os ganhos de peso com a ajuda de uma profissional, constatei que as fases de consolidação com êxito sempre se situavam em torno de 9,46 dias por quilo perdido, e arredondei para dez.

Por que reintroduzir o pão integral e não o pão branco?

O pão branco é um alimento desnaturado por seu modo de fabricação, parecido em uma farinha cujo trigo foi artificialmente separado de sua casca, o farelo. É um alimento muito fácil de se assimilar. Rapidamente digerido, não tem a riqueza do pão integral.

O pão integral contém uma proporção natural de farelo, o germe de trigo é igualmente preservado. O farelo protege contra o câncer de intestino, contra o excesso de colesterol, contra a diabetes, contra a prisão de ventre e, em nossa ótica, protege também o seu emagrecimento: quando passa pelo intestino delgado, o farelo aglutina e sequestra uma parte das calorias, que será liberada nas fezes, sem ter sido aproveitada. O pão integral também é muito mais lento na digestão e produz uma sensação de saciedade maior.

Posso comer queijos light?

A maior parte dos queijos light não tem atrativos gustativos e você ficará tentado a consumir mais. Contudo, saiba que o tomme de Savoie é um autêntico queijo light, pois é preparado, principalmente, a partir do creme de leite semidesnatado. Com o *boom* dos produtos light, certos fabricantes voltaram à receita original (entre 10 e 20% de gordura), para nossa felicidade. Surpreendentemente, este é um verdadeiro queijo, cheio de sabor, macio, resistente na boca. Você poderá comer até 60 gramas por dia sem sentir culpa!

Como parar de fumar e fazer a dieta ao mesmo tempo, sem se sentir muito frustrado?

Parar de fumar é tão importante para a proteção da saúde que, quando a decisão é tomada, é importante lhe dar prioridade absoluta. Então, se for necessário escolher, deve-se privilegiar dar fim aos cigarros em vez de emagrecer. Fazer tudo ao mesmo tempo é possível, mas dificilmente as duas operações serão bem feitas. Parar de fumar deve ser algo definitivo e feito isoladamente durante dez dias. A partir do décimo-primeiro, é possível atacar simultaneamente a perda de peso. Para evitar a sobrecarga das duas frustrações, deve-se usar um dos trunfos principais do Método Dukan: a liberdade total quanto às quantidades. Você pode comer o quanto quiser quando a vontade de fumar aparecer.

Meus problemas de tireoide são compatíveis com esta dieta?

Os problemas de tireoide formam um grande vilão na luta contra o sobrepeso. Antes de mais nada, existem pessoas que não sabem que têm insuficiência de tireoide, ou apenas uma tireoide preguiçosa, e engordam lentamente. Quando se descobre essa deficiência, o peso já foi ganho.

Também há pessoas que descobrem ter uma carência de tireoide. A elas, é oferecido um tratamento de substituição com Levothyrox que, muitas vezes, começa a funcionar muito lentamente, e que continua a dar espaço ao ganho de peso.

Certos médicos sem muita prática com estes problemas bastante específicos desconfiam e preferem dar mais tempo, espaçando as dosagens de verificação – TSH. Todo esse tempo é suficiente para o que o peso se instale. Enfim, mesmo para pessoas diagnosticadas e bem tratadas, deve-se lembrar que o que gera a tireoide naqueles com insuficiência não tem o mesmo efeito que o Levothyrox.

Há também uma diferença entre o pronto para usar e o feito sob medida. É preciso entender a complexidade do problema. Quando se quer emagrecer com um tratamento bem adaptado, que siga a evolução da função da tireoide, emagrece-se, posso lhe garantir isso. As pessoas com desregulações na tireoide devem ser levadas um pouco mais a sério que as demais – um pouquinho mais, porém não muito.

Força!

O tempo de sua dieta passará rápido. Já uma silhueta sedutora dura por muito tempo. Esta página de balanço consagrada à fase 3 é particularmente importante: sua preparação psicológica deve estar perfeitamente no ponto para que você comece esta parte da dieta. Dela, depende o êxito de seu emagrecimento.

Balanço da fase 3

Não negligencie esta etapa
Ao longo das etapas 1 e 2, todos os dias, você encontrava a coragem certeira, constatando, em sua balança, a diminuição do peso. Na fase de consolidação, seu peso não diminui mais; assim, é fácil se deixar levar e pensar em pular a etapa. Não feche este livro de maneira alguma! Você percorreu apenas a metade do caminho! Se negligenciar as instruções desta fase, seus quilos voltarão de maneira rápida e certeira. E se não ganhar mais alguns, será porque tem sorte.

Continue vigilante, o sucesso de sua dieta está em jogo durante a fase de consolidação
Uma outra reação pode consistir em seguir a fase de consolidação, mas pela metade: uma fatia de pão a mais por aqui, uma fruta a mais por ali, três refeições de gala por semana, em vez de duas... Continue vigilante e, principalmente, muito objetivo com relação ao que consome. Algumas pessoas de dieta ficam espantadas quando veem o ponteiro da balança voltar a subir, "mesmo seguindo todos os conselhos"... Se tiver medo que isso possa acontecer, anote em um caderno os alimentos autorizados e anote também tudo que tiver consumido durante o dia. Seja honesto consigo mesmo, não omita o que beliscou ou se não resistiu a um alimento proibido.

Diga a si mesmo que esta é sua última dieta
Diversas dietas repetidas são algo ruim, por duas razões:
• Antes de mais nada, seu corpo se habitua às dietas sucessivas e rapidamente percebe quando procuramos restringi-lo, fazendo de tudo para gerenciar melhor... suas reservas! Alguém que emagrece e engorda muitas vezes ao longo da vida está se vacinando contra o emagrecimento. Depois de cada falta de êxito, terá cada vez mais dificuldades em perder peso. Seu corpo conserva a memória das dietas anteriores. Assim, se você chegou até a fase de consolidação, continue até o fim, dizendo a si mesmo que esta é a última dieta que fará até o fim de sua vida.

A fase de consolidação em resumo...

Dez dias por quilo perdido.
A duração da fase de consolidação depende de sua perda de peso...
Esta fase não é facultativa.
Ela é obrigatória, e não negociável.

Conserve sua base de proteínas + legumes à vontade.

E adicione:
• uma a duas porções de frutas por dia (exceto banana, uva e cereja);
• duas fatias de pão integral por dia;
• 40 gramas de queijo por dia.

Caminhe ao menos 25 minutos por dia
e não perca a oportunidade de integrar a atividade física ao seu dia a dia.

Introduza uma ou duas porções de **farináceos** por semana e **duas novas carnes**: pernil de cordeiro e filé de porco.

Chega o momento de fazer uma, e depois duas **refeições de gala** por semana.

Um dia por semana, às quintas-feiras, volte às proteínas puras: seu dia de sentinela.

Não se esqueça de **ingerir muito líquido** todos os dias e de consumir 2 colheres e meia de sopa de **farelo de aveia**.

Fase 4:
a estabilização definitiva

A fase de estabilização:
uma nova vida com a proteção
de três medidas simples e concretas,
mas não negociáveis.

Os objetivos da fase 4

O retorno à liberdade

Antes de mais nada, parabéns! Se você está lendo estas páginas, é porque passou com sucesso por todas as etapas mais delicadas de nossa dieta. Neste estágio, você não apenas eliminou sua sobrecarga, mas também passou sem problemas pelos difíceis dias de consolidação, ao longo dos quais seu corpo poderia ter lhe pregado peças. Hoje, o perigo do famoso efeito sanfona está descartado. Você poderá voltar a se alimentar mais espontaneamente, sem correr tanto risco de ganhar peso. Você foi submetido a inúmeras regras mais ou menos difíceis: tais instruções eram uma referência, um guia durante a tempestade. Agora, você poderá navegar longe da costa, mas a bordo. Deixo-lhe três bussolas: três instruções simples e concretas, porém não negociáveis.

Mais o que significa liberdade na prática ?

Antes de mais nada, lembre-se de que comer livremente não significa comer qualquer coisa. Tenha sempre em mente a ascensão da Escada Nutricional (página 92), graças à qual você dispõe de um modelo para se alimentar espontaneamente, respeitando três regras que sempre lhe servirão como apoio para que não deslize e caia. Eis as três medidas às quais você deverá se submeter todas as semanas, pelo tempo que desejar conservar este peso conquistado com tanto empenho:
• Você deverá instaurar, definitivamente, a quinta-feira proteica em sua vida.
• Você esquecerá os elevadores e subirá escadas a pé: é saudável e gratuito.
• Você deverá manter, todos os dias, as três colheres de sopa de farelo de aveia, para sempre.

Confie em si mesmo

A grande diferença entre estabilização e consolidação é a sua independência. Atualmente, você tem novamente a independência e o controle das operações. Não se subestime. Hoje você é capaz de ser um cavaleiro solitário, pois, ao longo dos dias ocasionalmente difíceis de sua dieta, você e seu corpo aprenderam muito: as quatro etapas deste método o fizeram adquirir um conhecimento refinado de sua alimentação. Agora você sabe distinguir o que é importante e o que é supérfluo. Ao começar pela dieta proteica, você descobriu o poder destes alimentos vitais. Depois, foi em frente, adicionando a eles os legumes essenciais. Posteriormente, na fase de consolidação, você completou, com discernimento, seus cardápios com alimentos importantes (as frutas), alimentos úteis (o pão integral) e os alimentos de conforto (os farináceos), para, enfim, chegar aos alimentos de prazer (queijo, refeições de gala) e de perigo (oleaginosas, amendoins, pastas, batatas chips, maionese...). Seu organismo se acostumou a comer de outra forma; agora, você pode confiar nele e lhe dar a liberdade que merece, se forem conservadas as referências da Escada Nutricional e as três medidas. É o mínimo requerido para que você não volte a engordar. E esta proporção, por mais essencial e ativa que seja, não lhe permite voltar à alimentação responsável por seu ganho de peso.

Não confunda estabilização e consolidação

Talvez você tenha virado as páginas desta obra um pouco rápido, pensando que a estabilização e a consolidação fossem semelhantes. Neste caso, volte atrás, pois sua dieta estaria fadada ao fracasso.
Na fase de estabilização, não há muitas obrigações pois os que chegam a ela descartaram o risco do famoso efeito sanfona. Na fase de consolidação, o objetivo é eliminar o risco de engordar novamente; este não é o caso na fase de estabilização, pois este risco está, agora, descartado.

As três regras a serem respeitadas durante muito tempo...

E por que não para sempre?

Uma quinta-feira proteica por semana
Você agora está livre para se alimentar normalmente durante seis dias por semana, mas esta instrução definitiva será a única proteção contra sua tendência a engordar. Neste dia, você selecionará as proteínas mais puras possíveis. Você também poderá consumir proteína em pó (mas não qualquer uma), se isto ajudá-lo. Como na fase de consolidação, esta instrução é, evidentemente, não negociável: você deverá conservar o hábito adquirido durante a dieta. Escolha seu dia e atenha-se a ele. Se mudar o tempo todo, acabará esquecendo e engordará de maneira lenta, mas inevitável.

Um contrato importante: esqueça os elevadores
Se você não pratica exercícios físicos, não ande de elevador e evite usar seu carro para trajetos muito curtos. Enfim, mexa-se! Para ter motivação, você pode se equipar com um pedômetro, a fim de contar o número de passos dados todos os dias, e, assim, perceberá que são tão poucos quanto seriam se tivesse uma vida sedentária. Então, sem pretender ser um esportista de alto nível, faça com que suas pernas funcionem em seu dia a dia.

Três colheres de sopa de farelo de aveia por dia
O farelo de aveia apresenta três grandes vantagens:
• facilita o trânsito intestinal e protege o intestino de doenças graves;
• misturado ao bolo alimentar, impede o intestino delgado de absorver a totalidade de calorias contidas em um alimento;
• no estômago, o farelo de aveia ganha volume, promovendo uma sensação agradável de saciedade.
Consumir farelo de aveia todos os dias é benéfico à saúde e à longevidade para adquirir boa forma.

O grande futuro
dos alimentos
que auxiliam no
emagrecimento

Alguns produtos light que facilitam o acompanhamento de um regime são autorizados na dieta Dukan, com a condição que sejam produtos de qualidade e sem açúcar ou gordura adicionadas. Eis os principais, que podem ser encontrados nos supermercados:
- **Os que contêm menos gorduras:** laticínios, certos queijos com até a 10%, presuntos sem gordura, manteiga e molhos.
- **Os com baixo teor de açúcar:** chicletes, balas, alguns biscoitos e, principalmente, adoçantes (ver quadro da página 38).

Estes progressos são interessantes, mas insuficientes. Para atender à demanda de todos os que seguiram a dieta e tiveram dificuldades em encontrar os alimentos necessários e práticos para fazê-la como se deve, criamos a sociedade DietaDukan. Vários leitores e usuários do método nos enviam, todas as semanas, suas ideias e sugestões, que muitas vezes resultam na criação de produtos inovadores, destinados a tornar mais fácil – e mais agradável – a estabilização de seu Peso Ideal. Logo, eles estarão disponíveis para compra pela internet (www.lojadietadukan.com.br) e em supermercados.

Que produtos são associados ao método atualmente?
- **O farelo de aveia**, mas também todas as suas variações: panquecas, biscoitos e barras de farelo de aveia, disponíveis em diversos sabores.
- **Os aromas:** promissores na luta contra o sobrepeso, representam um conceito excepcional, que possibilita a associação de liberdade em quantidades e liberdade em sabores (ver página 20).
- **O ágar-ágar:** esta gelatina natural, à base de algas, é ainda mais fácil de preparar que a gelatina tradicional. Basta adicionar 2 gramas de pó de ágar-ágar em meio litro de líquido (leite, chá aromatizado, suco de

soja, suco de fruta, infusão, caldo de carne ou de legumes), aquecer a mistura até a ebulição e esperar seu resfriamento, para preparar um flã, uma geleia...

• **Os shiratakis de konhaku:** não se trata de um produto light ou de uma dica dietética, mas de uma verdadeira revolução. Isto significa poder consumir massas ao longo de uma dieta, sem limitação de quantidade, pois este alimento não contém uma caloria sequer! (ver página 21)

• **Os sais dietéticos:** atualmente, inúmeros estudos revelam o consumo excessivo de sal, que constitui um grave fator de risco para a hipertensão e para a insuficiência renal, além de favorecer o sobrepeso e a obesidade. Há duas soluções: o sal dietético sem sódio, recomendado às pessoas sob uma dieta pobre em sódio, aos hipertensos, aos que sofrem de retenção de líquidos ou sob tratamento de corticoide; e o sal dietético ao sal rosa do Himalaia (com teor reduzido em sódio), recomendado para toda pessoa que queira reduzir o consumo de sódio e ingerir potássio mineral e oligoelementos.

• **Os buquês de algas e sabores marinhos:** estes buquês de algas são compostos por uma mistura harmoniosa de algas, legumes e ervas aromáticas, ricas em proteínas, vitaminas, minerais, polissacarídeos complexos e aminoácidos. Têm por missão dar gosto aos peixes.

• **Goji:** originário da China, é naturalmente rico em vitaminas, oligoelementos e antioxidantes. Tem inúmeras virtudes, especialmente a de reforçar as defesas imunológicas, a diminuição da tensão arterial e o nível de açúcar no sangue, além de estimular o trânsito intestinal. Durante uma dieta, tem a função de multivitamínico sob forma de complexos naturais vegetais inteiros.

• **O chá em pastilhas:** estas pastilhas, muito originais, são verdadeiros chás liofilizados a frio para extrair as diferentes plantas e sabores naturais por suas inúmeras virtudes. Na boca, a pastilha deve ser colocada na ponta da língua, sobre o palato, colando-se e umidificando-se, para ser lentamente dissolvida. Enquanto o chá em pastilha está no palato e se desfazendo lentamente, a boca fica ocupada e inacessível a outros alimentos. Pode-se consumir uma dezena de pastilhas por dia, se for necessário.

• **O cacau:** trata-se do princípio ativo do chocolate, que contém o cerne de sua ação (o resto do chocolate é apenas gordura e açúcar). O cacau desnatado ajuda a não abandonar o gosto do chocolate na dieta e de preparar doces leves.

Alguns exemplos de produtos Dukan*:

• **Pratos preparados Dukan.** Para quem não tem tempo de cozinhar todos os dias, foram criados pratos frescos, prontos para serem consumidos, e pratos congelados, totalmente adaptados às recomendações do Método Dukan. Contêm uma porção inédita de proteínas sem farináceos, nem adição de gordura e são encontrados em supermercados.

• **Molho de tomate Dukan.** Preparado sem adição de gordura e açúcar, existe em versão tomate/coentro e abobrinha/berinjela. Na fase de ataque, é autorizado como aromatizante (1 colher de sopa), mas, a partir da fase 2, de cruzeiro, pode ser consumido à vontade.

• **Molho para salada ao vinagre balsâmico.** Seu teor em óleo bastante reduzido torna-o pouco calórico. Contém o melhor dos vinagres balsâmicos, uma mostarda tradicional, água com gás, para uma emulsão densa, e o mínimo de azeite, para garantir a textura do molho.

• **Sorvete de iogurte Dukan.** Disponível nos sabores baunilha e manga, um verdadeiro sorvete e uma autêntica sobremesa, autorizada à vontade na dieta. Muito pouco calórico, ajuda a driblar a frustração.

• **Pasta para pão (tolerada).** Desprovida de adição de açúcar e muito menos gordurosa, sua untuosidade e seu sabor lembram outras pastas famosas. Não é autorizada à vontade, mas deve ser utilizada em dose de 1 colher de sopa por dia.

• *Petit gâteau* **de chocolate (alimento tolerado).** Não contém qualquer adição de açúcar, senão o da lactose do leite e da dose diária de alimentos tolerados (amido de milho e cacau desnatado). Tão delicioso que muitos do que testaram não conseguiram diferenciá-lo do *petit gâteau* tradicional.

Os instrumentos de cozinha indispensáveis

Escolha **formas de silicone**, novo material que revolucionou os métodos de cozimento tradicionais, tornando possível que se cozinhe sem adição de gordura.

---

* Os produtos Dukan ainda não estão disponíveis no Brasil (*N. do E.*)

A **quinta-feira** proteica

Pequeno lembrete

Procure evitar o uso de mostarda às quintas-feiras, pois ela é salgada. Você pode, no entanto, utilizar vinagre, pimenta-do-reino e condimentos como tempero, sem o menor problema. Use todos os condimentos como um reforço para compensar a redução.

Limite o consumo de lactose

Em uma dieta de estabilização definitiva, que acontece apenas uma vez por semana, os alimentos devem passar por uma seleção muito restrita e apresentar um limite no consumo de lactose. Quando se compara a composição do iogurte magro e do requeijão cremoso com 0% de gordura, percebe-se que, para o mesmo número de calorias, o requeijão cremoso traz mais proteínas e menos lactose que o iogurte. Deste modo, prefira o requeijão cremoso.

Uma seleção de proteínas puras

As quintas-feiras proteicas são um pequeno lembrete do período "de ataque" com algumas nuances. Dessa forma, você deverá conservar seus hábitos da fase 1, escolhendo proteínas puras. Ao escolher as carnes, por exemplo, evite as de porco e de cordeiro, muito gordurosas para serem classificadas como proteínas puras. Na página 126, você encontrará uma lista definitiva de alimentos autorizados para as quintas-feiras proteicas. Sendo a quinta-feira a única proteção contra um eventual ganho de peso, é importante escolher as proteínas mais puras possíveis. Nesta dieta, o peixe gorduroso, até então autorizado, será proibido às quintas-feiras, a partir de agora.

Beba muito líquido

Na fase de ataque, recomendamos que você bebesse ao menos 1 litro e meio de água por dia. Para as quintas-feiras estabilizadoras, aconselhamos que reforce a dose e passe a 2 litros por dia, para que seu organismo elimine bem os dejetos.

Limite o sal

Durante todo o período de emagrecimento e consolidação, o Método Dukan impôs apenas uma pequena redução do sal. Para as quintas-feiras da fase de estabilização, a palavra de ordem é reforçada e esta quinta "de proteção" deverá ser muito pobre em sal.

Uma restrição tão pontual, em apenas um dia isolado, não é o suficiente para diminuir a tensão, mas permitirá que a água ingerida atravesse o organismo rapidamente, purificando-o. Esta instrução será particularmente benéfica às mulheres submetidas a fortes influências hormonais, que ocasionam retenção de líquidos massiva ao longo dos ciclos menstruais.

Ocasionalmente, você pode usar proteínas em pó

A dieta Dukan, sendo totalmente natural, não autorizava as proteínas em pó até então. Mesmo que se trate de um modo de alimentação artificial, as proteínas em pó têm a vantagem de serem particularmente puras. Em fase de estabilização, quando a dieta ocupa apenas um único dia por semana, é possível usar tais proteínas, principalmente em função de um deslocamento ou de uma agenda cheia, o que pode trazer um impasse à quinta-feira proteica. A proteína em pó certamente tem a vantagem de ser fácil de se transportar, mas não se pode esquecer de que se trata de um alimento artificial. Seu organismo não é naturalmente preparado para se alimentar de pó. Mesmo aromatizado e com adoçante, o pó não é um alimento prazeroso. O uso prolongado deste produto pode fazê-lo ter crises de bulimia irreprimíveis. Além disso, a ausência de fibras nestas preparações pode causar inchaços desagradáveis. Por essas razões, este modo de alimentação deve ser totalmente ocasional.

Atenção: não confunda a proteína em pó com os substituidores de refeições. Leia com atenção a embalagem: o pó que escolher deverá ser composto de 95% de proteínas.

Algumas dicas

• **Se você gosta de carne bovina**
Às quintas-feiras, a carne de boi deve ser bem cozida, o que não altera a qualidade de suas proteínas, mas elimina boa parte de sua gordura.

• **Coma salmão outro dia!**
Na dieta das proteínas puras da fase 1, todos os peixes são autorizados, dos mais magros aos mais gordurosos. O teor em gordura não é mais aceitável às quintas-feiras proteicas da fase de estabilização.

• **Coma peixe cru!**
A garoupa, o dourado e o atum são excelentes para este modo de preparação. Marinados alguns minutos no limão, em fatias finas ou pequenos cubos, salgados, apimentados e condimentados com ervas finas, fazem uma refeição rápida e deliciosa.

O que comer às quintas-feiras proteicas?

A quinta-feira deve ser estritamente proteica. Use os alimentos mais puros em proteínas possíveis. Você não pode usar a lista da dieta de ataque, pois certas proteínas autorizadas neste período não o são nas quintas proteicas de estabilização... Eis a lista de proteínas puras permitidas.

Carnes

Autorizadas
Escalope de filé mignon
Filé bovino
Coelho
Rosbife
Assado de vitela (bem cozido)
Bife bovino
Carne de hambúrguer com menos de 5% de gordura

Proibidas
Cordeiro
Contrafilé bovino
Costela de boi
Costela de vitela
Entrecosto
Porco

Ovos

Autorizados
Inteiros ou apenas as claras, se a semana foi farta no consumo de ovos

Aves

Autorizadas
Peito de frango
Codorna
Peru
A parte superior da coxa de frango

Proibidas
Asa de frango
Pato
Ganso
Pele da galinha

Laticínios

Autorizados
Requeijão cremoso com 0% de gordura, iogurte magro

Proibidos
Queijos
Laticínios de leite integral

Peixes

Autorizados
Bacalhau fresco
Badejo
Pescada
Dourado
Espada
Arenque
Pescada carvoeira
Robalo
Garoupa
Raia
Tainha

Proibidos
Cavala na mostarda
Sardinha
Sardinha frita
Salmão defumado
Atum defumado

Frutos do mar

Autorizados
Vieiras
Camarões
Ostras
Mexilhões
Caranguejo

Farelo de aveia e farelo de trigo

3 colheres de sopa de farelo de aveia por dia
1 colher de sopa de farelo de trigo por dia (facultativo)

Konhaku

Shiratakis, massas e arroz de konhaku

EXEMPLOS DE CARDÁPIOS DA FASE 4 (ESTABILIZAÇÃO)

	Mousse de dois limões (ver página 266)	Filés de tainha com manjericão e tomate (ver página 236)	Compota de maçã (ver página 274)
	SEGUNDA-FEIRA	**TERÇA-FEIRA**	**QUARTA-FEIRA**
CAFÉ DA MANHÃ	> Bebida quente > Pão sueco > Margarina light > Requeijão cremoso com 0% de gordura	> Bebida quente > Ovos mexidos > Duas fatias de pão integral	> Bebida quente > Uma panqueca de farelo de aveia > Um iogurte
ALMOÇO	> Salada de tomate > Pato com brotos de feijão > Mousse de soja e morango (ver página 278)	> Abacate com caranguejo > Filés de tainha com manjericão e tomates (ver página 236) > Melão	> Camarões rosas > Chucrute de frutos do mar (ver página 206) > Abacaxi com creme inglês gelado (ver página 270)
LANCHE	> Panqueca de farelo de aveia com cacau	> Um iogurte	> Duas fatias de pão integral + porção de parmesão
JANTAR	> Pepino com iogurte > Macarrão de abobrinha > Porção de camembert > Mousse de dois limões (ver página 266)	> Salada de alface > Pizza napolitana de farelo de aveia > Copo de frutas vermelhas	> Alho-poró ao vinagrete > Almôndegas orientais e sêmola > Compota de maçã (ver página 274)

FASE 4 | **A ESTABILIZAÇÃO DEFINITIVA** 129

Não se esqueça de que, todos os dias, você deve consumir três colheres de sopa de farelo de aveia (contadas nestes cardápios).

Omelete com menta e curry (ver página 204)

Maçãs surpresa de canela (ver página 284)

Sorvete de muesli (ver página 246)

Clafoutis de pistache e damasco (ver página 272)

QUINTA-FEIRA (PP)	SEXTA-FEIRA	SÁBADO	DOMINGO
> Bebida quente > Requeijão cremoso com 0% de gordura > Uma panqueca de farelo de aveia (ver página 44)	> Bebida quente > Cereal de farelo de aveia Dukan > Leite desnatado > ½ mexerica	> Bebida quente > Duas fatias de pão integral > Margarina light > Uma laranja	> Bebida quente > Suco de laranja > Croissant > Iogurte
> Carpaccio de dourado > Omelete com menta e curry (ver página 204) > Flã de baunilha sem açúcar	> Salada de carnes de pato > Bife com chalotas > Gratinado de abobrinha > Salada de frutas	> Salada de tomate e muçarela > Lombo de cordeiro com vagens > Sorvete de muesli (ver página 246)	> Rabanete > Carne assada > Legumes e batatas ao forno > Clafoutis de pistache e damasco (ver página 272)
> Kanis	> Um iogurte	> Três biscoitos de farelo de aveia Dukan sabor coco	> Iogurte de frutas
> Vieiras > Robalo com ervas > Requeijão cremoso com 0% de gordura	> Gaspacho > Peito de frango à provençal > Ratatouille e quinoa > Maçãs surpresa de canela (ver página 284)	> Queijo quente de cabra com rúcula > Espetinho de frango e limão verde > Abobrinhas grelhadas > Tiramisu Dukan	> Sopa de legumes > Omelete de ervas finas > Iogurte com farelo de aveia > Compota de maçã

Minha quinta-feira
proteica no dia a dia (fase 4)

Mas como assim? Você ainda está de dieta?
Se você ainda não tinha notado, agora vai perceber que basta começar uma dieta para que as pessoas ao redor não parem de nos propor coisas fora da dieta, com a constante desculpa: "Vá, tenha um pouco de prazer!" A alimentação sempre foi um tópico delicado. Nossas escolhas alimentares representam, ao mesmo tempo, nossa cultura, nossas convicções, nossas lembranças de infância... Se você conseguiu escapar deste tipo de observação ao longo de sua dieta, agora ela poderá estar mais presente, pois você não está mais fazendo dieta. No entanto, todas as quintas-feiras, você se alimenta de maneira diferente. Diante da reação das pessoas ao seu redor, há duas soluções:
• Você assume e cala os comentários. Sua maneira de comer diz respeito apenas a você e não deve incomodar ninguém. Você não está impedindo os outros de comer.
• Você permanece discreto. Não explicará o Método Dukan a seu chefe no escritório ou ao cliente que convidou para um almoço de negócios em um restaurante.
Eis algumas dicas...

Em família
Faça um *brunch* uma vez por semana. Seu dia proteico pode ser a oportunidade de instaurar este novo ritual familiar, dando ao seu café da manhã um ar de festa: ovos, carnes frias – o *brunch* é perfeito para você! Enquanto os outros completarão seu café da manhã com pastas doces ou pão, você passará despercebido com seu ovo cozido mole, no qual poderá mergulhar um peito de frango.

No restaurante
• **Peça sempre um prato de frutos do mar**
Este prato tem um ar de festa e ninguém perceberá que você está respeitando as instruções da quinta-feira proteica. Você sabia que o caranguejo, os camarões, os mexilhões e as ostras e as vieiras são ainda mais magras que o peixe?

• **Coma devagar**
Peça um bom pedaço de carne grelhada com um legume de que não gosta muito, e coma apenas a carne.

• **Para a sobremesa, peça um café**
Ninguém desconfiará de que você está de dieta se tomar um café enquanto os outros escolhem uma sobremesa. Se a conversa se prolongar, peça outro café.

Durante uma viagem

Leve consigo algumas proteínas em pó e um misturador. É difícil seguir sua dieta proteica em outros lugares, ainda que seja comum a venda de fatias de carne fria ou kani. Se não encontrar nada apropriado, pode se contentar com o pó, acompanhado de um laticínio magro, se conseguir localizar no supermercado.

Perguntas e respostas

Tomo anticoncepcional pelas manhãs, assim como o farelo de aveia. Devo ingeri-los separadamente?

Tudo depende da dose de farelo de aveia que você consumir. Uma ou duas colheres não têm efeito suficiente para reduzir a ação de sua pílula anticoncepcional, mesmo que esta tenha uma dose bastante fraca. Se você consome três colheres de farelo e sua pílula tem uma dose fraca, tome-a à noite. Se for uma pílula de dose normal, não há problema, você pode misturar.

Você poderia me aconselhar um alimento inibidor de apetite?

A berinjela pode ser um inibidor de apetite natural. Com uma faca afiada, corte uma berinjela em três pedaços de 1 centímetro de profundidade de cada lado. Em cada fenda, coloque um dente de alho. Em seguida, leve-a ao forno a 240 graus.

Quando ouvir a casca estalando e a berinjela começar a rachar nos cortes, tire-a do forno e coloque-a em um prato. Em seguida, corte-a em dois no eixo do comprimento, como um abacate.

Pegue uma metade, coloque sal e pimenta-do-reino e coma a polpa com colher, como se estivesse tomando um sorvete. Quando tiver acabado, passe à sua refeição. A satisfação e a saciedade chegarão ao seu cérebro. Você estará mais calmo para almoçar ou jantar, e a pectina da berinjela eliminará algumas preciosas calorias consigo.

Qual é o melhor momento do dia para consumir o farelo de aveia?

Há muitos, que variam de acordo com seu estilo de vida e sua relação com a alimentação.

Se você preferir a manhã e gostar de um café da manhã farto, é claro que o farelo de aveia pode ser excelente a esta hora, por sua consistência e por saciá-lo, principalmente se consumido em forma de panqueca, crepe ou mingau.

Se gostar de beliscar à tarde, então, o melhor momento é consumir o farelo de aveia às 17 horas.

Se você precisa almoçar rápido e nunca tem tempo para preparar uma verdadeira refeição, uma grande panqueca feita com 2 colheres de sopa de farelo de aveia, requeijão cremoso com 0% de gordura e clara de ovo pode servir de base para um sanduíche Dukan, que pode ser recheado com salmão defumado, presunto magro ou carpaccio.

Se gostar de fazer uma ceia depois do jantar e que, em vão, busca sua alegria em despensas vazias, a panqueca doce com cacau sem açúcar poderá ser útil, para que você não caia em tentações.

Balanço da fase 4

Devagar se vai ao longe
E eis que você chegou ao fim desta viagem ao centro de seu organismo. Você o maltratou, entrou em guerra contra ele, mas, agora, vocês partem juntos, de mãos dadas. Seu corpo é seu amigo, aprenda a não negligenciá-lo. "Devagar se vai ao longe", diz o velho ditado. E, hoje, infelizmente, há muitas pessoas mais preocupadas com a saúde de seu carro do que de seu corpo. Não nos esquecemos de colocar gasolina no nosso querido carro nem de levá-lo para a revisão. Agora, você conhece melhor os alimentos que o levaram ao seu Peso Ideal.

Pense em si mesmo
Para que esta dieta tenha êxito definitivo, é preciso que você pense em si todos os dias. Ao longo de seu emagrecimento, você deu tempo ao corpo, escutou-o, tratou-o bem ou mal, mas tomou conta dele. Você deve continuar a fazer isso. É por esse motivo que a quinta-feira proteica é importante: ela é um ponto de ligação entre você e seu corpo, um instante para estabilizar sua relação com ele.

Torne-se uma tartaruga à mesa
Tome conta de seu corpo, ou seja, tenha prazer. Coma lentamente, saboreie, não engula nada sem ter apreciado antes. Exija a lentidão, esta é uma arte perdida hoje em dia. Quanto mais rápido as pessoas comem, mais engordam.

Não se sirva duas vezes
Isso você aprendeu na fase de consolidação, nas refeições de gala. Coma lentamente, mas nunca se sirva duas vezes. Um último conselho, que vai no sentido do prazer reencontrado e, ao mesmo tempo, no de sua forma: coma com um garfo e uma faca. Conselho estranho? Hoje em dia, o fato de beliscar e de comer em fast-foods nos fez esquecer o óbvio. Se tomar o tempo para degustar um prato sentado, com um garfo e uma faca, terá a certeza de se dar prazer sem comer qualquer besteira, sem ao menos pensar no que está comendo ao longo do dia.

Beba durante as refeições

Este é um preconceito que tem resistido ao tempo: beber durante as refeições não é, de modo algum, ruim para o seu organismo, mas o contrário. Beber lhe dá uma sensação de saciedade e também faz com que a absorção de alimentos sólidos seja interrompida: a progressão da refeição se torna mais lenta no tubo digestivo. Além disso, a água fresca diminui a temperatura dos alimentos ingeridos, o que faz o corpo trabalhar ainda mais. E, quanto mais o corpo trabalha, mais gasta calorias.

Se ganhar alguns quilos novamente...

Não espere ganhar muitos, o essencial é reagir rápido. Algumas medidas simples, desenvolvidas nas páginas a seguir, vão ajudá-lo a se livrar desses quilos antes que eles tenham tempo de se instalar definitivamente em seu corpo.

Neste momento, estou certo de que você está armado para o desafio ao fechar este livro: viver de forma agradável, comendo normalmente, como todo mundo, durante seis dias da semana. Sua vida de antes, aquela em que você estava tão mal consigo mesmo, ficou para trás.

Ganhou peso?
O contra-ataque graduado

O contra-ataque graduado é uma técnica de proteção da estabilização. Nós o elaboramos para ajudar aqueles que, apesar do enquadramento protetor de sua estabilização, acabam ganhando peso novamente.

Na prática, tratam-se de quatro linhas de defesa sucessivas, que vêm uma após a outra, no caso de a anterior ceder e para ajudá-lo a recuperar-se e levá-lo de volta ao Peso Ideal.

Uma condição básica: pese-se diariamente

Todo o nosso sistema de contra-ataque se baseia na pesagem diária. Recuse o preconceito absurdo de que se pesar todos os dias é algo obsessivo. Isto é não apenas falso, como também é contrário ao bom senso e à lógica: como poderíamos estabilizar um peso que não vigiamos mais?

Pese-se todos os dias pela manhã, com a mesma roupa. Visualize sua curva de peso, nada além disso poderia mantê-lo mais informado. Há diversas maneiras de fazê-lo à sua disposição: em uma folha de papel, como antigamente, ou em uma planilha de Excel.

Um quilo e meio de margem

Seu Peso Ideal é sua referência, o norte de sua bússola. Porém, como seu corpo e seu estilo de vida não são o de um robô, você tem uma margem de 1 quilo e meio, o que corresponde à respiração de seu corpo, suas variações de água e de alimentos, e sua vida social, em função dos convites que lhe fizerem.

Se você não passar de 1 quilo e meio, está tudo bem. Além disso, desde os primeiros sinais de ganho de peso, entre, sem hesitar, no contra-ataque graduado. Se passar da primeira barreira, virá a segunda, e assim por diante.

Reaja rapidamente: é mais fácil não ganhar 1 quilo do que perdê-lo!

Quando você ganha peso, o tempo joga contra você, tanto no plano do metabolismo quanto no dos comportamentos. Quanto mais tempo levar para reagir ao ganho de peso, mais ele se enraíza e resiste à dieta e ao gasto físico que se lhe opõe. Saindo de uma refeição de festa, por exemplo, caminhe em ritmo acelerado durante uma hora e terá boas chances de impedir que as calorias ingeridas se transformem em gordura. Se esperar o dia seguinte para reagir, será um pouco menos fácil, porém ainda possível. Quanto mais esperar, mais profundamente o excesso de calorias se armazenará e mais difícil será colocá-las para fora. Para fazer uma analogia prática, compare seus excessos alimentares aos da pintura feita em uma parede. Se quiser apagá-la assim que a tiver colocado na parede, não terá qualquer dificuldade em fazê-lo, pois a tinta ainda está fresca. Quanto mais o tempo passar, mais a pintura resistirá e, quando estiver totalmente seca, um simples pano não será suficiente para limpá-la: você precisará de um decapante, uma raspadeira e muito esforço.

Antes de mais nada

Se tiver negligenciado seu trio protetor — a quinta-feira proteica, as escadas e o farelo de aveia — ou se tiver abandonado apenas um ou dois destes três, retome os bons hábitos.

Em que circunstâncias isso pode acontecer?

Quase sempre, é a adversidade, a dificuldade, o tédio, os estresses repetidos, a morosidade, uma separação, um problema afetivo, uma doença, um parente doente, um divórcio, um problema profissional, uma demissão, uma rivalidade. Em suma, uma ferida que pede um curativo. O que fazer? Nada de complicado ou inacessível, mas que não deve ser diferenciado. Você lutou com todas as suas forças e entusiasmo para obter um resultado que não aparece mais em sua balança. Você provou que tem autonomia e motivação suficientes para chegar ao autocontrole. Todos podem enfraquecer diante da adversidade e buscar um refúgio momentâneo na calma que a comida traz, mas tudo tem um fim, inclusive as adversidades e as dificuldades. Chega o momento da decisão, em que é preciso retomar o controle, a confiança e a autoestima.

	Que tipo de contra-ataque adotar?	Farelo de aveia	Caminhada complementar
CONTRA-ATAQUE 1	> Se você ganhou **mais de 1 quilo e meio**	> 5 colheres de sopa por dia > 2 litros de água pouco mineralizada	> 15 minutos por dia a serem adicionados ao seu ritmo diário
CONTRA-ATAQUE 2	> Se ganhou **1/3 dos quilos perdidos**	> 5 colheres de sopa por dia > 2 litros de água pouco mineralizada	> 30 minutos por dia a serem adicionados ao seu ritmo diário
CONTRA-ATAQUE 3	> Se ganhou **metade dos quilos perdidos**	> Tome a dose habitual recomendada para cada fase	> 30 minutos por dia a serem adicionados ao seu ritmo diário
CONTRA-ATAQUE 4	> Se ganhou **mais de ¾ dos quilos perdidos**	> Tome a dose habitual recomendada para cada fase	> Caminhe no ritmo diário prescrito para cada fase (ver página 72)

FASE 4 | **A ESTABILIZAÇÃO DEFINITIVA** 139

Retorno à fase de ataque (PP)?	Retorno à fase de cruzeiro (alternância PP/PL)?	Retorno à fase de consolidação?	Estabilização
> Não	> Não	> Não	> Dobre a quinta-feira proteica; até retornar ao Peso Ideal, adote dois dias consecutivos de PP por semana (escolha a quarta e a quinta) > Retorno às medidas de estabilização habituais (ver página 120)
> Não	> Sim, até voltar ao Peso Ideal	> Sem necessidade de fase de consolidação	> Retorno às medidas de estabilização habituais
> Não	> Sim, em estrita associação ao seu plano de atividade física	> Sim, dez dias por quilo perdido	> Retorno às medidas de estabilização habituais
> Sim, de dois a quatro dias	> Sim, em estrita associação ao seu plano de atividade física	> Sim, dez dias por quilo perdido	> Retorno às medidas de estabilização habituais

A fase de estabilização em resumo...

Negligenciar as instruções de estabilização é a certeza de ganhar novamente o peso que você perdeu.

Em fase de estabilização, **você vai se alimentar normalmente seis dias por semana**, conservando na memória a Escada Nutricional (ver página 92).

Você fica encarregado de aplicar o que aprendeu ao longo da dieta: **gerenciar os diferentes alimentos de acordo com sua importância**: vital (as proteínas, os legumes), agradável (os farináceos), essencial, útil, de conforto, de prazer.

Uma vez por semana (às **quintas**, de preferência), volte às **proteínas puras**.

Esta instrução não é negociável.
Ela será sua proteção contra um eventual ganho de peso.

Às quintas, você beberá pelo menos 2 litros de água.

Você consumirá, todos os dias, 3 colheres de sopa de farelo de aveia.

Você evitará usar o elevador e caminhará ao menos 20 minutos.
Todos os dias, seu corpo deverá estar ativo, mesmo que não pratique esportes.

O livro do seu peso

• **Quem** hoje tem tempo de fazer 154 perguntas pertinentes? Ninguém, com certeza!
• **Quem** teria tempo para analisar e classificar, a fim de entender o caso de quem respondeu, e sugerir soluções adaptadas?
• **Quem** pegaria uma caneta para escrever um balanço e um diário de bordo adaptado a cada caso?
• **Que** impressora imprimiria, enfim, uma obra assim, com um único exemplar, e o a enviaria à casa de quem a pediu?

Tudo isto, nós fizemos, todos juntos, motivados pela paixão e pelo prazer de inovar e construir algo fundamentalmente inovador em um mundo em que tudo parece já ter sido dito. Praticamente todos voluntários, 32 médicos, quatro engenheiros, um arquiteto de informática genial e designers gráficos.

Dois grandes conceitos que mudam tudo: programa on-line e acompanhamento diário

A diferenciação: abordagem com rosto humano
• **Uma reflexão internacional**
Em 2003, lancei um grupo de reflexão internacional em rede sobre a evolução preocupante do sobrepeso e da obesidade no mundo. Colegas nutricionistas americanos, ingleses, espanhóis e alemães assistiram à progressão desta calamidade e buscaram soluções.

Um fato era claro: nada até hoje conseguiu conter a epidemia do sobrepeso, e a resistência era ainda mais enfraquecida pela divisão das pesquisas e pela dificuldade em escolher um método capaz de criar um consenso.

Outra conclusão desta análise estabelecia que a dificuldade da dieta em um mundo de incitação ao consumo era o obstáculo de base. Para atenuá-lo, uma resistência e um enquadramento fundados em dois elementos de evidência eram necessários: a relação pessoal com aquele que assumiria a restrição e o acompanhamento cotidiano para se fazer presente, dia após dia, quilo após quilo.

• **Internet, suporte on-line ao usuário**
Todas as obras, métodos e planos propostos para atacar o sobrepeso, quaisquer que sejam suas qualidades, são métodos padronizados, que não levam em conta o indivíduo, sua personalidade, sua hereditariedade e suas preferências alimentares.

O projeto de "personalização em massa" levou à realização de um programa que possibilita a elaboração de um estudo para cada caso de sobrepeso. Perguntas estabelecidas por um colega médico tornou possível a coleta de 154 respostas com perfis diferenciados. Em função de todos os elementos considerados, um plano global para emagrecer de acordo com a personalidade ponderal foi proposto, um verdadeiro diário de bordo, que mobilizou 32 médicos e uma equipe de engenheiros de informática. Tal experiência levou à criação do primeiro livro com leitor único da história do mercado editorial.

Em 10 mil casos, o estudo mostrou que a abordagem personalizada do sobrepeso representava uma nova ferramenta no arsenal da luta contra o sobrepeso. Uma perda de peso com êxito, comparável à obtida pelos melhores usuários, mas com resultados radicalmente melhores na estabilização do peso e sua manutenção durante 24 meses.

O acompanhamento diário: um plano contra a dor
• **O programa de emagrecimento pela internet**
Um outro consenso internacional diz respeito à grande importância do acompanhamento diário. Em geral, este é o papel do médico nutricionista. Ora, na França existem apenas trezentos nutricionistas para 20 milhões de pessoas com sobrepeso. Seria necessário, então, criar um programa de emagrecimento utilizável em grande escala. O único canal de acolhimento e diálogo não podia ser outro, senão a internet.

Cuidado! Existem inúmeros sites que propõem um programa de emagrecimento. Até onde sei, nenhum deles, nem mesmo os maiores, oferece um serviço diferenciado, pois nenhum deles distingue um usuário dos demais, nem um verdadeiro acompanhamento (as instruções são padronizadas e não consideram resultados).

Na prática...
Um questionário de 154 perguntas e a reunião das respostas que permitem explorar a equação individual.

O estudo é lançado e, dez dias depois, uma síntese é realizada, editada e impressa em um único exemplar, aos cuidados exclusivos do usuário.

• **Instruções matinais e relatório à noite**
As equipes médicas e clínicas utilizaram o conhecimento adquirido para a diferenciação e prepararam um serviço único no mundo, baseado em uma nova e diplomada tecnologia: o canal EIVD (e-mail de ida e volta diário).
• **Todas as manhãs**, um e-mail que traz instruções adaptadas ao caso de cada usuário chega com três abas: alimentação (cardápios), atividade física e suporte de motivação e de diálogo.
• **Todas as noites**, e aqui estão a diferenciação e a veracidade do acompanhamento, o usuário compartilha, em alguns cliques, seu peso do dia, seus desvios alimentares, sua atividade física, seu nível de motivação, o alimento que mais lhe fez falta. Enfim, demonstrando a realidade do acompanhamento, os elementos fornecidos na prestação de contas são levados em conta para elaborar o e-mail de instruções do dia seguinte. É este enquadramento paciente e constante, com ida e volta diária de instruções e prestação de contas que faz com que se emagreça com um máximo de eficácia, um mínimo de frustração, da maneira mais durável possível.

Entradas e aperitivos

RECEITAS - ENTRADAS E APERITIVOS

Ovos mexidos com ovas de salmão

■ **ATAQUE** ■ **CONSOLIDAÇÃO**
■ **CRUZEIRO** ■ **ESTABILIZAÇÃO**

- **Para duas pessoas**
- **Tempo de preparo**
  15 minutos
- **Tempo de cozimento**
  10 minutos
- **tempo de refrigeração**
  10 minutos
- **Ingredientes**
  > 3 ovos
  > 2 colheres de café de ovas de salmão
  > Sal, pimenta-do-reino
  Para o *chantilly*
  > 2 claras batidas
  > 2 iogurtes com 0% de gordura
  > Sal, pimenta-do-reino a gosto

Em uma pequena panela funda, quebre os ovos, adicione o sal e a pimenta-do-reino. Cozinhe em fogo muito brando, sem parar de mexer com uma colher de pau (como se estivesse desenhando "oitos"). Quando os ovos estiverem bem mexidos, com a consistência de um creme, coloque-os em pequenos recipientes.

Faça o chantilly com as claras de ovo batidas em neve, o iogurte, o sal e a pimenta-do-reino.

Coloque sobre os ovos e decore com ovas de salmão.

Reserve na geladeira até o momento de servir.

RECEITAS - ENTRADAS E APERITIVOS

Camarões em copinhos com molho de baunilha

- **CRUZEIRO**
- **CONSOLIDAÇÃO FORA DAS QUINTAS PP**
- **ESTABILIZAÇÃO FORA DAS QUINTAS PP**

- **Para quatro pessoas**
- **Tempo de preparo**
  15 minutos
- **Tempo de cozimento**
  20 minutos
- **Ingredientes**
  > 4 colheres de sopa de creme de leite light com 3% de gordura (tolerado)
  > 1 fava seca de baunilha
  > 2 chalotas
  > 6 colheres de sopa de vinho branco (facultativo e tolerado)
  > 12 camarões
  > ½ colher de café de cúrcuma
  > ¼ de colher de café de páprica

- *Contém um alimento e meio tolerado por pessoa*

Leve o creme de leite ao forno até começar a entrar em ebulição, depois coloque a fava seca de baunilha cortada ao meio.

Descasque e corte as chalotas e refogue-as em fogo brando, em uma frigideira antiaderente, com 4 colheres de sopa de água, até que fiquem transparentes. Coloque o vinho branco e cozinhe até ferver. Adicione os camarões descascados e refogue-os até que estejam cozidos. Adicione o creme (depois de tirar a baunilha), o cúrcuma e a páprica.

Coloque todo o preparo em pequenos copos e sirva quente.

Vieiras refogadas com espuma de baunilha

■ **CRUZEIRO**
■ **CONSOLIDAÇÃO FORA DAS QUINTAS PP**
■ **ESTABILIZAÇÃO FORA DAS QUINTAS PP**

- **Para quatro pessoas**
- **Tempo de preparo**
  20 minutos
- **Tempo de cozimento**
  15 minutos
- **Ingredientes**
  > 16 vieiras congeladas
  > 150 mililitros de molho de peixe
  > 1 fava de baunilha
  > 10 gotas de aroma de rum
  > 4 colheres de sopa de creme de leite líquido com 3% de gordura ou 100 gramas de requeijão cremoso com 0% de gordura
  > 1 pitada de ágar-ágar

- *Contém um alimento tolerado por pessoa*

Descongele as vieiras na geladeira.

Coloque o molho de peixe em uma panela. Reparta a fava de baunilha no sentido do comprimento e esfregue-a no molho. Ferva durante 10 minutos. Filtre e reserve a baunilha para a decoração, se desejar.

De dois a três minutos, refogue as vieiras em uma frigideira antiaderente. Reserve em um lugar aquecido.

Em uma frigideira já aquecida, adicione 2 colheres de sopa de água misturadas ao aroma de rum. Misture com o molho. Adicione o creme de leite e, em seguida, o ágar-ágar. Filtre.

Se tiver um sifão de chantilly, encha-o com a mistura, feche e insira uma cápsula de gás. Agite bem. Se não tiver um sifão, emulsione a mistura para que se transforme em uma mousse.

Coloque as vieiras em pratos fundos, acompanhadas da espuma de molho de peixe com baunilha. Decore com a fava de baunilha cortada em pedaços.

Trouxinhas de mexilhão com salmão defumado

- **Para uma pessoa**
- **Tempo de preparo**
  5 minutos
- **Tempo de cozimento**
  5 minutos
- **Ingredientes**
  > 10 mexilhões já cozidos
  > 1 colher de sopa de creme de leite light com 3% de gordura (alimento tolerado)
  > 1 bela fatia de salmão defumado
  > 1 cubo de queijo frescal com 0% de gordura
  > 1 haste de cebolinha

- *Contém um alimento tolerado por pessoa*

■ **CRUZEIRO**
■ **CONSOLIDAÇÃO FORA DAS QUINTAS PP**
■ **ESTABILIZAÇÃO FORA DAS QUINTAS PP**

Aqueça os mexilhões já cozidos em fogo brando durante cinco minutos, em uma frigideira antiaderente. No último momento, adicione o creme de leite light.

Coloque a fatia de salmão defumado em um prato e espalhe o queijo frescal. Adicione os mexilhões.

Forme uma trouxinha fechando o salmão defumado com a ajuda da haste de cebolinha.

Mil-folhas de pepino e salmão

- **CRUZEIRO PL**
- **CONSOLIDAÇÃO**
- **ESTABILIZAÇÃO**

- **Para seis pessoas**
- **Tempo de preparo**
  15 minutos
- **Ingredientes**
  > 1 pepino
  > 180 gramas de salmão defumado
  > 2 cubos de queijo frescal com 0% de gordura
  > 3 talos de tomilho
  > 1 pote pequeno de ovas de salmão
  > Sal, pimenta-do-reino

Lave e seque o pepino.

Corte-o em pedaços de 10 centímetros de comprimento e, em seguida, corte cada pedaço em fatias finas. Corte as fatias de salmão em três.

Monte seis mil-folhas alternando duas fatias de pepino e uma fatia de salmão defumado com um pouco de queijo espalhado por cima. Salgue um pouco o pepino e adicione pimenta-do-reino ao salmão. Tempere com um pouco de tomilho picado. Termine com uma fatia de pepino.

Decore com ovas de salmão e leve à geladeira.

RECEITAS - ENTRADAS E APERITIVOS

Camarões ao molho de curry e tomate-cereja

■ **CRUZEIRO PL**
■ **CONSOLIDAÇÃO FORA DAS QUINTAS PP**
■ **ESTABILIZAÇÃO FORA DAS QUINTAS PP**

- **Para duas pessoas**
- **Tempo de preparo**
  10 minutos
- **Tempo de cozimento**
  10 minutos
- **Ingredientes**
  > 16 camarões
  > 4 colheres de sopa de creme de leite light líquido com 3% de gordura (tolerado)
  > 15 gotas de aroma de coco
  > ½ colher de café de curry
  > ¼ colher de café de pimenta doce vermelha em pó
  > 8 tomates-cereja

- *Contém dois alimentos tolerados por pessoa*

Descasque os camarões e doure-os em uma frigideira antiaderente. Enquanto isso, prepare o molho misturando o creme, o aroma, o curry e a pimenta doce vermelha.

Assim que os camarões estiverem dourados, adicione o molho à frigideira e misture.

Sirva em pratos fundos com os tomates-cereja, apresentando-os com palitos de dente.

Na fase 3, de consolidação, você poderá substituir o creme e o aroma por cem mililitros de leite de coco.

Prato com ovos e salmão defumado

- CRUZEIRO PL
- CONSOLIDAÇÃO FORA DAS QUINTAS PP
- ESTABILIZAÇÃO FORA DAS QUINTAS PP

Prepare os ovos cozidos e corte-os ao meio.

Prepare a geleia ao álcool de Madeiras de acordo com a receita indicada no sachê.

Cozinhe os aspargos e deixe-os esfriar. Em seguida, coloque-os sobre um papel-toalha, para retirar toda a água.

Em um pequeno prato, reparta o caranguejo em medalhões, cubra com os ovos, com a parte da gema por baixo.

Despeje a geleia e leve à geladeira por ao menos duas horas.
Na hora de servir, retire o preparo da forma e coloque os aspargos em leque com as fatias de salmão defumado cortadas em dois. Salpique a salsa para dar um pouco de cor.

- **Para seis pessoas**
- **Tempo de preparação**
  20 minutos
- **Tempo de cozimento**
  30 minutos
- **Tempo de refrigeração**
  2 horas
- **Ingredientes**
  > 3 ovos
  > 1 sachê de geleia ao álcool de Madeiras (24 gramas)
  > 1 lata de aspargos brancos
  > ½ caranguejo congelado e pré-cozido
  > 3 fatias de salmão defumado
  > Salsa

Minibocadas de salmão defumado

- ■ **ATAQUE**
- ■ **CONSOLIDAÇÃO**
- ■ **CRUZEIRO**
- ■ **ESTABILIZAÇÃO**

- ■ **Para cerca de 50 minibocadas**
- ■ **Tempo de preparo**
  25 minutos
- ■ **Tempo de cozimento**
  20 minutos
- ■ **Ingredientes**

  Para a massa das bocadas
  > 4 colheres de sopa de farelo de aveia
  > 2 colheres de sopa de farelo de trigo
  > ½ sachê de fermento
  > 3 colheres de sopa de requeijão cremoso com 0% de gordura
  > 3 ovos + 1 clara
  > 1 colher de café de aroma de amêndoa
  > Sal, pimenta-do-reino

  Para o recheio
  > 4 cubos de queijo frescal com 0% de gordura
  > 3 colheres de café de requeijão cremoso com 0% de gordura
  > Ervas finas ou cebolinha fresca
  > 2 belas fatias de salmão defumado
  > Sal, pimenta-do-reino

Tire a grelha do forno e preaqueça a 210 graus.

Em um recipiente, misture os farelos, o fermento, o requeijão cremoso, os ovos, a clara e o aroma de amêndoa. Salgue e adicione pimenta-do-reino.

Despeje a massa em uma forma flexível.

Sobre a grelha, leve a massa ao forno durante 20 minutos. O cozimento pode ser diferente de acordo com os fornos, por isso, fique atento.

Em um recipiente, misture bem o queijo frescal e o requeijão cremoso.

Com um garfo, misture todo o preparo. Adicione sal, pimenta-do-reino, um pouco de ervas finas e, se tiver, cebolinha fresca bem picada.

Divida o preparo nas minibocadas com a ajuda de uma pequena colher.

Corte o salmão em pequenos quadrados e disponha-os para a decoração. Decore com ervas finas.

Você também pode adicionar ovas de peixe no lugar do salmão defumado ou substituir o recheio à base de queijo frescal por mousse de atum, de salmão ou de tofu defumado.

Duo leve de peru com brócolis

- ■ CRUZEIRO PL
- ■ CONSOLIDAÇÃO FORA DAS QUINTAS PP
- ■ ESTABILIZAÇÃO FORA DAS QUINTAS PP

- ■ **Para 12 copinhos**
- ■ **Tempo de preparo**
  15 minutos
- ■ **Tempo de refrigeração**
  1 hora
- ■ **Ingredientes**
  Para a mousse de peru
  > 150 gramas de presunto de peru
  > 8 colheres de sopa de requeijão cremoso com 0% de gordura
  > Suco de ½ limão
  > Sal, pimenta-do-reino
  Para a mousse de brócolis
  > ½ brócolis cozido
  > 2 cubos de queijo frescal com 0% de gordura
  > Suco de ½ limão
  > 1 pitada de curry em pó (decoração)
  > Sal, pimenta-do-reino

Bata o presunto de peru, o requeijão cremoso e o suco de limão no liquidificador, até a mistura ficar homogênea, com consistência de mousse.

Adicione sal, pimenta-do-reino e despeje em pequenos copos. Reserve na geladeira enquanto prepara o brócolis.

Misture o brócolis com o requeijão cremoso, o queijo fresco e o suco de limão. Adicione sal e pimenta-do-reino. Despeje a mistura sobre o preparo da mousse de presunto de peru. Finalize com um toque de curry e coloque novamente na geladeira durante 1 hora.
Tire os copos da geladeira 10 minutos antes de servir.

RECEITAS - ENTRADAS E APERITIVOS

Bocadas de pepino com ovas de peixe

■ **CRUZEIRO PL**
■ **CONSOLIDAÇÃO FORA DAS QUINTAS PP**
■ **ESTABILIZAÇÃO FORA DAS QUINTAS PP**

- **Para quatro pessoas**
- **Tempo de preparação**
  20 minutos
- **Tempo de cozimento**
  3 minutos
- **Tempo de refrigeração**
  10 minutos
- **Ingredientes**
  > ½ pepino fino
  > 6 colheres de sopa de requeijão cremoso com 0% de gordura
  > 2 cubos de queijo frescal com 0% de gordura
  > 5 a 10 gotas de aroma de cabra (facultativo)
  > 1 pequeno pote de ovas de peixe vermelho (100 gramas)

Descasque o pepino com a ajuda de um descascador e conserve as cascas intactas. Coloque-as durante 3 minutos na água fervendo, a fim de torná-las mais flexíveis.

Escorra a água e reserve as cascas à temperatura ambiente. Corte o pepino em quatro partes iguais no sentido do comprimento e retire delicadamente a polpa, deixando um fundo de cerca de um centímetro.

Misture o queijo branco e o requeijão cremoso. Adicione o aroma. Recheie o fundo dos pepinos. Encha com as ovas de peixe, passando ligeiramente sobre o topo dos pepinos.

Para fazer pequenos laços decorativos em cada bocada, corte as cascas do pepino no sentido do comprimento.

Reserve na geladeira até o momento de servir.

Coroa de legumes grelhados

RECEITA VEGETARIANA

- **CRUZEIRO PL**
- **CONSOLIDAÇÃO FORA DAS QUINTAS PP**
- **ESTABILIZAÇÃO FORA DAS QUINTAS PP**

- Para oito pessoas
- Deve ser preparado na véspera
- Tempo de preparo
  30 minutos
- Tempo de cozimento
  25 minutos
- Tempo de refrigeração
  24 horas
- Ingredientes
  > 2 berinjelas
  > 5 abobrinhas
  > 2 pimentões vermelhos
  > 2 pimentões amarelos
  > 4 gramas de ágar-ágar
  > 200 mililitros de molho de tomate caseiro (ou 200 mililitros de caldo de carne sem gordura)
  > Folhas de manjericão
  > Sal, pimenta-do-reino

Corte as berinjelas e as abobrinhas em fatias finas. Grelhe os legumes no forno a 180 graus. Retire os pimentões quando a casca ficar escurecida, e coloque-os em um saco plástico ou em um recipiente fechado, para poder descascá-los perfeitamente.

Em uma panela, misture o ágar-ágar ao molho de tomate ou ao caldo de carne. Ferva durante 2 minutos. Adicione sal e pimenta-do-reino.

Use uma fôrma de pudim ou pequenos copos. Ao fundo, adicione os legumes que servirão de decoração. Alterne pimentões vermelhos e amarelos.

Despeje um pouco do líquido gelificante entre as camadas e intercale com folhas de manjericão, para trazer o sabor extra. Quando os legumes estiverem todos dispostos, despeje o resto do líquido, amontoando um pouco. Tampe a forma com um prato e, sobre o prato, coloque algo pesado para amontoar e reserve na geladeira por, pelo menos, 24 horas.

Tire da fôrma antes de servir, coloque vinagrete e folhas de manjericão para acompanhar.

Mousse leve de alho-poró e molho de tomate

RECEITA VEGETARIANA

- **Para quatro pessoas**
- **Tempo de preparo**
  20 minutos
- **Tempo de cozimento**
  20 minutos
- **Tempo de refrigeração**
  2 horas
- **Ingredientes**
  > 3 alhos-porós
  > ½ cubo de caldo de legumes sem gordura
  > 400 gramas de tofu
  > 2 colheres de sopa de molho teriyaki ou shoyu
  > 2 gramas de ágar-ágar
  > 150 mililitros de leite desnatado
  > 4 tomates
  > Sal, pimenta-do-reino

■ CRUZEIRO PL
■ CONSOLIDAÇÃO FORA DAS QUINTAS PP
■ ESTABILIZAÇÃO FORA DAS QUINTAS PP

Lave os alhos-porós e corte-os em rodelas finas. Refogue em fogo brando em uma panela de pressão, com quatro colheres de sopa de água e meio cubo de caldo de legumes. Em seguida, cubra-os de água e feche a panela. Conte dez minutos de cozimento, até que a panela comece a apitar.

Escorra os alhos-porós e bata-os no liquidificador com o tofu e o molho teriyaki.

Em uma panela, misture o ágar-ágar e o leite desnatado (você também pode usar leite de soja). Ferva durante 30 segundos. Adicione o alho-poró à mistura e bata novamente no liquidificador. Adicione sal e pimenta-do-reino.

Despeje em pequenos recipientes e cubra com papel filme. Deixe esfriar à temperatura ambiente e, em seguida, leve à geladeira por 2 horas.

Descasque os tomates. Bata no liquidificador com um pouco de água. Despeje o molho de tomate em cada prato, tire a mousse da fôrma e coloque-a delicadamente sobre o molho. Decore de acordo com o seu gosto.

RECEITAS - ENTRADAS E APERITIVOS

Sopa de Halloween

■ **CRUZEIRO PL**
■ **CONSOLIDAÇÃO FORA DAS QUINTAS PP**
■ **ESTABILIZAÇÃO FORA DAS QUINTAS PP**

■ **Para quatro a seis pessoas**
■ **Tempo de preparo**
15 minutos
■ **Tempo de cozimento**
1 hora
■ **Ingredientes**
> 250 gramas de polpa de abóbora
> 1 cebola média
> 1 funcho ou erva-doce
> ½ litro de leite desnatado
> 1 cenoura
> Sal, pimenta-do-reino

Tire os grãos e retire a polpa da abóbora. Corte-a em pequenos pedaços, de cerca de 1 centímetro.

Descasque e pique a cebola. Descasque e corte a cenoura em fatias finas. Corte o caule do funcho ou erva-doce em tiras finíssimas (corte juliana). Refogue a cebola, a cenoura e o funcho ou erva-doce em uma frigideira antiaderente, com 4 colheres de sopa de água. Assim que a água ferver, adicione os pedaços de abóbora. Cozinhe sem cobrir durante 40 minutos, mexendo de vez em quando e verificando se os legumes não estão grudando uns nos outros. Neste caso, adicione mais água.
Aqueça o leite em uma panela.

Bata a sopa no liquidificador, adicionando o leite aos poucos. Acrescente o sal e a pimenta-do-reino. Sirva em pratos fundos ou em sopeiras.

Copinhos de presunto e molho de tomate

- **Para seis pessoas**
- **Tempo de preparo**
  20 minutos
- **Tempo de refrigeração**
  1 hora
- **Ingredientes**
  Para a mousse de presunto
  > 100 gramas de presunto (peru ou frango magro)
  > 1 cubo de queijo frescal com 0% de gordura
  > 6 colheres de sopa de creme de leite líquido com 3% de gordura (alimento tolerado)
  > 1 pitada de páprica
  > Pimenta-do-reino
  Para o molho de tomate
  > 1 lata de extrato de tomate
  > 1 dente de alho
  > 2 cubos de queijo frescal com 0% de gordura
  > 1 colher de café de cebolinha
  > Manjericão (para decorar)

- *Contém um alimento tolerado por pessoa*

■ CRUZEIRO PL
■ CONSOLIDAÇÃO FORA DAS QUINTAS PP
■ ESTABILIZAÇÃO FORA DAS QUINTAS PP

Misture todos os ingredientes de cada preparo no liquidificador, para obter duas misturas distintas.

Deixe descansar durante cerca de 1 hora na geladeira.

Recheie os copinhos alternando uma camada de molho de tomate e uma camada de mousse de presunto.

Decore com uma ou duas folhas de manjericão.

Copinhos refrescantes

- **Para seis pessoas**
- **Tempo de preparo**
  15 minutos
- **Ingredientes**
  > 3 colheres de sopa de kani ralado
  > ½ brócolis cozido
  > Suco de 1 limão verde
  > 2 cubos de queijo frescal com 0% de gordura
  > 3 colheres de sopa de creme de leite líquido com 3% de gordura (tolerado)
  > 1 colher de café de endro ou dill picado
  > 3 fatias de salmão defumado
  > Pimenta-do-reino

- *Contém meio alimento tolerado por pessoa*

■ **CRUZEIRO PL**
■ **CONSOLIDAÇÃO FORA DAS QUINTAS PP**
■ **ESTABILIZAÇÃO FORA DAS QUINTAS PP**

Em cada copinho, adicione o kani ralado.

Esmague o brócolis até transformá-lo em purê e adicione o suco de limão. Adicione uma camada da mistura sobre o kani.

Misture o queijo frescal, o creme de leite e o endro ou dill picado, adicionando pimenta a gosto. Coloque uma colher desta mistura sobre o brócolis.

Corte o salmão defumado em fatias finas e disponha-as em forma de espiral para completar o copinho.

Decore com um pouco de kani ralado e cebolinha.

Geleia com salmão defumado

- **CRUZEIRO PL**
- **CONSOLIDAÇÃO FORA DAS QUINTAS PP**
- **ESTABILIZAÇÃO FORA DAS QUINTAS PP**

Coloque 250 mililitros de água para ferver, com uma pitada de sal.

Durante este tempo, descasque o pepino e tire as sementes.

Assim que água ferver, adicione o ágar-ágar e misture bem, para diluir e deixar ferver mais 2 minutos. Retire do fogo, adicione o pepino e bata tudo no liquidificador. Moa o salmão defumado.

Em formas de silicone, despeje o preparo até à metade, adicione uma colher de sopa do salmão moído e termine de encher com o pepino. Deixe esfriar para que o preparo adquira a forma de gelatina. Coloque-o na geladeira por pelo menos 6 horas antes de servir.

- **Para seis pessoas**
- **Tempo de preparo**
  30 minutos
- **Tempo de refrigeração**
  6 horas
- **Ingredientes**
  > 1 pepino
  > 1 colher de café de ágar-ágar
  > 2 fatias de salmão defumado
  > 1 pitada de sal

RECEITAS - ENTRADAS E APERITIVOS

Sopa de pimentões com gengibre

RECEITA VEGETARIANA

■ CRUZEIRO PL
■ CONSOLIDAÇÃO FORA DAS QUINTAS PP
■ ESTABILIZAÇÃO FORA DAS QUINTAS PP

- **Para quatro pessoas**
- **Tempo de preparo**
  20 minutos
- **Tempo de cozimento**
  50 minutos
- **Ingredientes**
  > 3 pimentões vermelhos
  > 1 cebola roxa
  > 2 dentes de alho
  > 1 pedaço de 5 centímetros de gengibre ralado
  > 1 colher de café de cominho moído
  > 1 colher de café de coentro moído
  > 1 colher de sopa de amido de milho (alimento tolerado)
  > 900 mililitros de caldo de legumes ou de galinha sem gordura
  > 3 colheres de sopa de requeijão cremoso com 0% de gordura
  > 1 colher de sopa de creme de leite light com 3% de gordura (alimento tolerado)
  > Sal, pimenta-do-reino

- *Contém meio alimento tolerado por pessoa*

Preaqueça o forno a 200 graus.

Coloque os pimentões cortados em dois, a cebola descascada e cortada em quatro e os dentes de alho sem descascar em uma forma antiaderente. Leve ao forno por quatro minutos, até que a casca dos pimentões comece a rachar.

Em uma frigideira antiaderente, aqueça 4 colheres de sopa de água e refogue o gengibre, o cominho e o coentro bem devagar, durante cinco minutos.

Adicione o amido de milho, misture bem e tempere. Despeje o caldo de legumes ou de galinha, cubra e deixe cozinhar durante trinta minutos.

Descasque os dentes de alho e amasse-os. Adicione a cebola e o alho à sopa.

Descasque os pimentões e reserve um pouco para cortar em fatias finas. Adicione o resto ao preparo da sopa. Deixe cozinhar durante cinco minutos.

Bata a sopa no liquidificador, até que a mistura fique lisa. Reserve em uma panela e aqueça.

Sirva com uma colher de sopa da mistura do requeijão cremoso com o creme de leite e as fatias finas de pimentão.

Tofu tandoori

■ ATAQUE   ■ CONSOLIDAÇÃO
■ CRUZEIRO ■ ESTABILIZAÇÃO

Misture o suco de limão, o iogurte e os condimentos.

Corte o tofu em cubos e adicione-os ao preparo anterior. Misture de maneira que os cubos fiquem totalmente cobertos. Coloque na geladeira durante algumas horas (o melhor é deixar uma noite).

Preaqueça o forno a cerca de 240 graus.

Disponha os cubos em um prato para levar ao forno com o molho.

Deixe assar durante 25 minutos, virando o preparo regularmente.

Pique com palitos de dente e sirva quente.

- **Para duas pessoas**
- **Tempo de preparo**
  10 minutos
- **Tempo de refrigeração**
  De 3 a 8 horas
- **Tempo de cozimento**
  25 minutos
- **Ingredientes**
  > 1 colher de sopa de suco de limão
  > 1 iogurte natural com 0% de gordura
  > 2 colheres de sopa de condimento tandoori (indiano)
  > 250 gramas de tofu firme
  > Sal, pimenta-do-reino

Coquetel refrescante com carpaccio

- **CRUZEIRO PL**
- **CONSOLIDAÇÃO FORA DAS QUINTAS PP**
- **ESTABILIZAÇÃO FORA DAS QUINTAS PP**

- **Para seis pessoas**
- **Tempo de preparo**
  20 minutos
- **Ingredientes**
  > 3 tomates médios
  > 6 cenouras
  > 300 gramas de folhas de aipo
  > Cerefólio
  > 6 pitadas de curry em pó
  > 12 fatias de carpaccio
  > Sal, pimenta-do-reino

Descasque e tire as sementes dos tomates.

Descasque, lave e pique as cenouras.

Retire as folhas do aipo.

Misture todos os legumes em um liquidificador, adicione o sal e a pimenta-do-reino.

Despeje o preparo em seis copinhos, salpique uma pitada de curry e cerefólio.

Adicione por último duas fatias de carpaccio, para a decoração.

Bolo de abóbora

- ■ CRUZEIRO PL
- ■ CONSOLIDAÇÃO FORA DAS QUINTAS PP
- ■ ESTABILIZAÇÃO FORA DAS QUINTAS PP

- ■ Para oito pessoas
- ■ Tempo de preparo
  15 minutos
- ■ Tempo de cozimento
  1 hora e 5 minutos
- ■ Ingredientes
  > 400 gramas de abóbora
  > 3 ovos
  > 10 gotas de aroma de manteiga
  > 10 gotas de aroma de amêndoas
  > 100 mililitros de leite desnatado
  > 50 gramas de farinha integral
  > 50 gramas de farelo de aveia
  > ½ sachê de fermento
  > 150 gramas de frango picado
  > 120 gramas de queijo parmesão ralado light com até 5% de gordura (alimento tolerado)
  > Um pouco de salsa picada
  > 1 pitada de noz-moscada
  > Sal, pimenta-do-reino

- ■ *Contém meio alimento tolerado por pessoa*

Tire a casca da abóbora e corte a polpa em pequenos pedaços de 1 centímetro. Refogue em uma frigideira antiaderente com quatro colheres de sopa de água. Mexa de vez em quando e não deixe de colocar mais água, se necessário. Verifique o cozimento com a ponta de uma faca. Se a faca entrar bem, desligue o fogo. Bata no liquidificador até ter consistência de purê e reserve.

Preaqueça o forno a 210 graus.

Em um recipiente, bata os ovos em omelete com os aromas. Adicione o purê de abóbora, o leite, a farinha, o farelo de aveia e o fermento. Misture bem. Adicione os pedaços de frango e o queijo. Adicione um pouco de salsa, de noz-moscada, sal e pimenta-do-reino.

Despeje o preparo em uma forma de bolo e leve ao forno durante cinquenta minutos. Verifique o cozimento com a ponta de uma faca.

Pratos principais

RECEITAS - PRATOS PRINCIPAIS

Shiratakis de konhaku com camarões à chinesa

- **CRUZEIRO PL**
- **CONSOLIDAÇÃO FORA DAS QUINTAS PP**
- **ESTABILIZAÇÃO FORA DAS QUINTAS PP**

- **Para duas pessoas**
- **Tempo de preparo**
  10 minutos
- **Tempo de cozimento**
  20 minutos
- **Ingredientes**
  > 2 dentes de alho picados
  > ¼ de cebola picada
  > 500 gramas de camarões sem casca
  > 6 cogumelos não reidratados (ou, ainda melhor, shitakis frescos)
  > 200 gramas de broto de feijão
  > 2 colheres de sopa de molho nuoc-mam
  > 4 colheres de sopa de molho shoyu
  > Um pequeno pedaço de gengibre picado
  > Sal, pimenta-do-reino
  > 200 gramas de shiratakis de konhaku
  > Um pouco de coentro

Em uma frigideira antiaderente, refogue o alho e a cebola a fogo alto, adicionando 3 ou 4 colheres de sopa de água. Em seguida, abaixe o fogo.

Adicione os camarões sem casca, os cogumelos, os brotos de feijão, os molhos nuoc-mam e shoyu, o gengibre picado, o sal, a pimenta-do-reino e misture regularmente durante cerca de 15 minutos. Durante este tempo, prepare os shiratakis de konhaku. Lave-os bastante antes de colocá-los em uma panela de água fervente. Deixe cozinhar durante 2 ou 3 minutos. Escorra a água e passe por alguns segundos na água fria, para lavá-los mais uma vez.

Adicione os shiratakis de konhaku na frigideira, sobre o preparo dos camarões e dos cogumelos, adicionando o coentro.

Misture tudo e deixe esquentar no fogo durante mais 3 minutos.

Shiratakis de konhaku à bolonhesa

- Para duas pessoas
- Tempo de preparo
  10 minutos
- Tempo de cozimento
  1 hora, no mínimo
- Ingredientes
  > 400 gramas de shiratakis de konhaku

  Para o molho
  > 1 cebola picada em pedaços pequenos
  > 1 dente de alho picado
  > 1 cenoura cortada em pedaços pequenos
  > 1 talo de aipo picado
  > 1 colher de café de tomilho
  > 1 colher de café de orégano
  > 1 colher de café de folhas de louro
  > Sal, pimenta-do-reino
  > 300 gramas de carne magra moída
  > 1 pote de molho de tomate e coentro Dukan (ou dois grandes tomates descascados e cortados em grandes pedaços)
  > 1 copo de caldo de carne sem gordura

- **CRUZEIRO PL**
- **CONSOLIDAÇÃO FORA DAS QUINTAS PP**
- **ESTABILIZAÇÃO FORA DAS QUINTAS PP**

Em uma grande panela, refogue o alho e a cebola em fogo brando, com um pouco de água.

Depois de 1 minuto, adicione os pedaços de cenoura, de aipo, o tomilho, o orégano, as folhas de louro, o sal e a pimenta-do-reino. Deixe cozinhar durante cerca de 10 minutos.

Adicione a carne moída, distribuindo-a, para que fique bem cozida. Em seguida, adicione o molho de tomate e coentro (ou os tomates descascados e cortados em pedaços), assim como o copo de caldo de carne.

Aumente o fogo, adicione sal e água novamente, para aperfeiçoar o cozimento. Deixe cozinhar por, no mínimo, 1 hora.

Ao fim do cozimento do molho, prepare os shiratakis de konhaku. Lave-os bastante antes de colocar em uma panela com água fervente. Deixe cozinhar por 2 ou 3 minutos.

Escorra a água e passe os shiratakis na água fria durante alguns segundos, para lavá-los novamente.

Adicione os shiratakis de konhaku na panela do molho à bolonhesa e sirva quente.

192 RECEITAS - PRATOS PRINCIPAIS

Salada japonesa de pepino e omelete de shiratakis de konhaku

RECEITA VEGETARIANA

- **Para duas pessoas**
- **Tempo de preparo**
  15 minutos
- **Tempo de cozimento**
  8 minutos
- **Ingredientes**
  > 200 gramas de shiratakis de konhaku
  > ½ pepino
  > 2 ovos
  > 1 colher de café de coentro fresco
  Para o molho
  > 4 colheres de sopa de vinagre de arroz
  > 3 colheres de sopa de molho shoyu
  > 1 colher de sopa de stevia
  > 2 colheres de sopa de gergelim (condimento com uso limitado)

■ **CRUZEIRO PL**
■ **CONSOLIDAÇÃO FORA DAS QUINTAS PP**
■ **ESTABILIZAÇÃO FORA DAS QUINTAS PP**

Lave os shiratakis de konhaku antes de colocá-los em uma panela com água fervente. Deixe cozinhar por 2 ou 3 minutos.

Escorra a água e passe os shiratakis na água fria durante alguns segundos, para lavá-los novamente.

Corte o pepino em rodelas bem finas.

Quebre os ovos em uma frigideira antiaderente e faça uma omelete bem fina. Quando esfriar, corte a omelete em fatias finas.

Em um prato fundo, misture o vinagre de arroz, o molho shoyu e a stevia, depois adicione o gergelim. Deixe os shiratakis marinarem no prato durante alguns minutos.

Antes de servir, adicione as rodelas de pepino e as fatias da omelete sobre os shiratakis de konhaku já marinados.

Adicione folhas de coentro para perfumar e decorar.

Sukiyaki, fondue japonês

- **CRUZEIRO PL**
- **CONSOLIDAÇÃO FORA DAS QUINTAS PP**
- **ESTABILIZAÇÃO FORA DAS QUINTAS PP**

Coloque a carne na geladeira ou no freezer por 20 minutos, para facilitar o corte em fatias finas como papel, com a ajuda de uma faca de cozinha bem afiada.

Prepare os shiratakis de konhaku. Lave-os bastante antes de colocar em uma panela com água fervente. Deixe cozinhar por 2 ou 3 minutos. Escorra a água e passe os shiratakis na água fria durante alguns segundos, para lavá-los novamente. Reserve.

Disponha os legumes e o tofu em um grande prato: alhos-porós cortados em rodelas, couve chinesa sem as folhas que a envolvem e cortada em quatro, cogumelos shitaki cortados na parte de cima, cebolas em fatias, tofu em cubos de um centímetro.

Bata os ovos em recipientes individuais (um por convidado). Prepare o molho sukiyaki light: misture ½ copo de kombu-dashi com o molho shoyu, um copo de água e a stevia. Ferva e reserve.

No meio da mesa, esquente a panela de *fondue* e adicione outro ½ copo de kombu-dashi com a água.

Quando estiver fervendo, adicione as porções de carne e de legumes. Em seguida, adicione os shiratakis e o tofu, que levam menos tempo para cozinhar. Sobreponha os ingredientes sem misturá-los, para cobrir com o molho sukiyaki light. Misture com os pauzinhos. O *fondue* começa: os convidados se servem na panela e mergulham os pedaços de carne e legumes no ovo antes de degustar. Adicione mais caldo no *fondue*, se faltar na panela.

- **Para seis pessoas**
- **Tempo de preparo**
  15 minutos
- **Tempo de cozimento**
  À mesa, em função dos convidados
- **Ingredientes**
  > 400 gramas de carne bovina cortada em fatias finas (contrafilé ou lombo, de preferência)
  > 200 a 400 gramas de shiratakis de konhaku lavados, cozidos e escorridos
  > 4 alhos-porós cortados em pequenos pedaços
  > 1 couve chinesa cortada em quatro
  > 6 cogumelos shitakis lavados, com a parte de cima cortada em cruz
  > 6 pequenas cebolas frescas cortadas ao meio, ainda com o talo, cortadas em fatias
  > 1 bloco de tofu cortado em cubos
  > 6 ovos
  Para o molho light
  > ½ copo de kombu-dashi (sopa de algas)
  > ½ copo de molho shoyu
  > 1 copo de água
  > 2 colheres de sopa de stevia

Shiratakis de konhaku com tofu cremoso e legumes

RECEITA VEGETARIANA

- **Para duas pessoas**
- **Tempo de preparo**
  10 minutos
- **Tempo de cozimento**
  20 minutos
- **Ingredientes**
  > 400 gramas de shiratakis de konhaku
  > 2 cebolas com talo
  > 2 cenouras cortadas à juliana
  > 4 cogumelos
  > 2 dentes de alho picados
  > 200 gramas de broto de feijão
  > 4 colheres de sopa de molho shoyu
  > 1 pequeno pedaço de gengibre picado
  > 200 gramas de tofu cremoso
  > Sal, pimenta-do-reino
  > Folhas de coentro fresco

■ **CRUZEIRO PL**
■ **CONSOLIDAÇÃO FORA DAS QUINTAS PP**
■ **ESTABILIZAÇÃO FORA DAS QUINTAS PP**

Prepare os shiratakis de konhaku.

Lave-os bem antes de colocar em uma panela com água fervente. Deixe cozinhar por 2 ou 3 minutos.

Escorra a água e passe os shiratakis na água fria durante alguns segundos, para lavá-los novamente.

Lave e corte as cebolas, separando a cabeça do talo. Corte os talos com uma tesoura, em pequenas rodelas. Lave os cogumelos e as cenouras.

Em uma frigideira antiaderente, refogue o alho e as cabeças das cebolas em fogo vivo, adicionando três ou quatro colheres de sopa de água. Em seguida, diminua o fogo.

Adicione as cenouras, os cogumelos, os brotos de feijão, o molho shoyu, o gengibre picado, o tofu cremoso, o sal, a pimenta-do-reino e misture durante cerca de 15 minutos.

Adicione os shiratakis de konhaku na frigideira de legumes, adicionando as folhas de coentro. Misture tudo e leve ao fogo por 3 minutos.

Prove para aperfeiçoar o tempero, se necessário.

Espetinhos de legumes e tofu aos seis sabores

■ CRUZEIRO PL
■ CONSOLIDAÇÃO FORA DAS QUINTAS PP
■ ESTABILIZAÇÃO FORA DAS QUINTAS PP

- **Para quatro pessoas**
- **Tempo de preparo**
  15 minutos
- **Tempo de cozimento**
  À mesa, de acordo com a preferência dos convidados
- **Ingredientes**

Para o molho de tempero
> 2 iogurtes naturais com 0% de gordura
> 1 colher de sopa de menta fresca picada
> 1 colher de café de cominho moído
> 1 colher de café de grãos de coentro moídos
> ½ colher de café de pimenta em pó
> 1 pitada de cúrcuma
> 1 pitada de gengibre em pó
> Sal, pimenta-do-reino

Para os espetinhos
> 1 berinjela pequena
> 1 bloco de tofu
> 1 abobrinha cortada em cubos
> 8 tomates-cereja
> 8 cogumelos de Paris

Em um recipiente, misture o iogurte, a menta, o cominho, o coentro, a pimenta, o cúrcuma e o gengibre.

Tempere com sal e pimenta-do-reino.

Cubra com filme plástico e coloque na geladeira.
Lave a berinjela e corte-a em cubos, tempere com sal e coloque em um escorredor. Deixe descansar durante 15 minutos, depois lave e escorra a água.

Corte também o bloco de tofu em cubos de 2 centímetros. Coloque em fileira os cubos de berinjela e de abobrinha, o tofu, os tomates-cereja e os cogumelos em espetos. Coloque os espetos em um prato fundo.

Embeba os espetos no molho com iogurte, até cobrir tudo. Cubra novamente com filme plástico e coloque na geladeira até o momento da refeição.

À hora da refeição, grelhe os espetinhos como em um churrasco. Eventualmente, adicione mais molho, o que tiver sobrado no prato. Quando os legumes estiverem ligeiramente grelhados, os espetinhos estarão prontos para servir.

Blanquette vegetariana com seitan

RECEITA VEGETARIANA

- **Para quatro pessoas**
- **Tempo de preparo**
  10 minutos
- **Tempo de cozimento**
  40 minutos
- **Ingredientes**
  > 2 pacotes de 250 gramas de seitan
  > 3 cebolas
  > 12 cravos
  > 1 dente de alho
  > 1 folha de tomilho
  > Algumas folhas de alecrim
  > 6 cenouras
  > 300 gramas de cogumelos de Paris
  > 1 litro de caldo de legumes
  > 2 colheres de sopa de maisena
  > Sal, pimenta-do-reino

■ CRUZEIRO PL
■ CONSOLIDAÇÃO FORA DAS QUINTAS PP
■ ESTABILIZAÇÃO FORA DAS QUINTAS PP

Corte o seitan em pequenas fatias e separe-as, para evitar que não colem umas nas outras.

Prepare os legumes em uma panela de pressão. Coloque três ou quatro cravos em cada cebola. Adicione o alho, o tomilho e o alecrim. Descasque e corte as cenouras. Lave, descasque e corte os cogumelos em fatias. Cubra tudo com o caldo de legumes.

Quando começar a ferver, adicione as fatias de seitan. Cubra e deixe cozinhar por 30 minutos, adicionando um pouco de água ou caldo de legumes a mais, se necessário.

Ao fim do cozimento, quando os legumes estiverem bem macios, tire uma concha de caldo. Adicione a maisena e coloque tudo dentro da panela de pressão, até que o molho engrosse.

Prove para aperfeiçoar o tempero.

Alcachofras à indiana com curry e cogumelos

RECEITA VEGETARIANA

- **Para quatro pessoas**
- **Tempo de preparo**
  25 minutos
- **Tempo de cozimento**
  30 minutos
- **Ingredientes**
  > 2 cebolas descascadas e picadas
  > 1 folha de aipo
  > 1 folha de tomilho
  > 1 folha de salsa
  > 1 folha de louro
  > 1 colher de sopa de maisena
  > 1 colher de café de curry em pó
  > 1 pequeno copo de caldo de legumes (ou de carne sem gordura)
  > Sal, pimenta-do-reino
  > 250 gramas de cogumelos cortados em fatias
  > 1 dente de alho picado
  > 4 alcachofras
  > Suco de limão
  > 4 colheres de sopa de creme de leite líquido com 4% de gordura

■ **CRUZEIRO PL**
■ **CONSOLIDAÇÃO FORA DAS QUINTAS PP**
■ **ESTABILIZAÇÃO FORA DAS QUINTAS PP**

Prepare as cebolas descascadas e picadas.

Corte o aipo em pequenos pedaços.

Em uma frigideira antiaderente, prepare o molho, refogando a cebola e o aipo com um pouco de água.

Adicione o tomilho, a salsa e a folha de louro.

Deixe dourar ligeiramente e adicione a maisena e o curry.

Misture e acrescente o caldo. Tempere com sal e pimenta-do-reino e deixe cozinhar em fogo brando durante cerca de 20 minutos. Durante este tempo, lave os cogumelos e corte-os em fatias. Em uma outra frigideira antiaderente, cozinhe os cogumelos rapidamente com o alho e algumas colheres de sopa de água, se necessário. Adicione sal.

Reparta os cogumelos entre as alcachofras. Adicione o suco de limão e o creme de leite no molho. Misture tudo.

Decore as alcachofras em um prato com o molho bem quente. Sirva imediatamente.

Omelete com menta e curry

■ **ATAQUE** ■ **CONSOLIDAÇÃO**
■ **CRUZEIRO** ■ **ESTABILIZAÇÃO**

- **Para duas pessoas**
- **Tempo de preparo**
  5 minutos
- **Tempo de cozimento**
  10 minutos
- **Ingredientes**
  > 4 ovos
  > 50 gramas de requeijão cremoso com 0% de gordura
  > 1 pitada generosa de curry
  > Folhas de menta fresca
  > Sal, pimenta-do-reino

Em um recipiente, bata os ovos e o requeijão cremoso. Adicione sal, pimenta-do-reino e curry.

Pique as folhas de menta e adicione ao preparo. Misture bem.

Cozinhe os dois lados da omelete em fogo brando, em uma frigideira antiaderente.

RECEITAS - PRATOS PRINCIPAIS

Chucrute de frutos do mar

■ CRUZEIRO PL
■ CONSOLIDAÇÃO FORA DAS QUINTAS PP
■ ESTABILIZAÇÃO FORA DAS QUINTAS PP

- **Para quatro pessoas**
- **Tempo de preparo**
  30 minutos
- **Tempo de cozimento**
  1 hora e 15 minutos
- **Ingredientes**
  > 2 quilos de repolho branco
  > 10 bagas de zimbro
  > 100 mililitros de vinho branco riesling (alimento tolerado)
  > 600 gramas de filé de pescada
  > 12 vieiras
  > 6 mexilhões
  > 2 filés de arenque
  > 6 camarões
  > 6 fatias finas de enguia defumada
  > Um pouco de endro ou dill
  > Sal, pimenta-do-reino
  > Palitos de dente de 12 centímetros de comprimento
  Para o molho
  > 2 chalotas
  > 80 mililitros de vinho branco riesling (tolerado)
  > 10 gotas de aroma de manteiga
  > Sal, pimenta-do-reino

- *Contém um alimento e meio tolerado por pessoa*

Lave o repolho branco diversas vezes. Coloque-o em uma panela de pressão, adicione as bagas de zimbro, tempere com o riesling e com 400 mililitros de água, deixando cozinhar por 1 hora e 15 minutos. Corte os filés de pescada em 16 cubos. Adicione pimenta-do-reino. Prepare os espetinhos nos palitos de dente, alternando cubos de peixe e de vieira.

Lave os mexilhões. Coloque os espetinhos na panela 20 minutos antes do fim do cozimento do repolho; 10 minutos depois, adicione o arenque e os mexilhões. Adicione os camarões e as fatias de enguia sete minutos depois.

Durante o cozimento do repolho, prepare o molho. Pique as chalotas. Coloque-as em uma panela com o vinho, 5 colheres de sopa de água e o aroma de manteiga. Adicione sal e pimenta-do-reino. Refogue a fogo alto. Reserve o molho, mantendo-o aquecido em banho-maria até o momento de servir.

Prepare o repolho em um prato quente. Disponha os peixes por cima, decore com um pouco de aneto e sirva o molho à parte.

Gratinado de bacalhau com cogumelo

- CRUZEIRO PL
- CONSOLIDAÇÃO FORA DAS QUINTAS PP
- ESTABILIZAÇÃO FORA DAS QUINTAS PP

- **Para quatro pessoas**
- **Tempo de preparo**
  30 minutos
- **Tempo de cozimento**
  40 minutos
- **Ingredientes**
  > 600 gramas de bacalhau
  > Tomilho
  > 2 cebolas
  > 4 cravos
  > 2 folhas de louro
  > Salsa
  > 400 mililitros de caldo de galinha sem gordura
  > 250 gramas de cogumelos
  > 3 dentes de alho
  > 6 colheres de sopa de creme de leite com 3% de gordura
  > 60 gramas de queijo parmesão com até 5% de gordura (alimento tolerado)
  > Sal, pimenta-do-reino
- *Contém dois alimentos tolerados por pessoa*

Na véspera, dessalgue o bacalhau com a pele.

Esquente água em uma panela de pressão, adicionando o bacalhau com o tomilho, uma cebola picada com quatro cravos, as folhas de louro e um pouco de salsa. Cozinhe por 10 minutos.

Em uma frigideira, coloque 200 mililitros de caldo de galinha. Adicione os cogumelos já lavados. Adicione sal, pimenta-do-reino e deixe cozinhar.

Retire o bacalhau, tire a pele e as espinhas.

Preaqueça o forno a 180 graus.

Adicione o alho e a salsa picada aos cogumelos. Mexa, desligue o fogo e deixe os cogumelos fazerem uma infusão.

Em uma frigideira antiaderente, doure uma cebola picada. Em seguida, adicione 200 mililitros de caldo. Deixe cozinhar em fogo brando até que toda a água evapore.

Ligue o fogo para cozinhar os cogumelos, adicione a cebola e o bacalhau sem pele, mexa e acrescente o creme de leite. Coloque o preparo em um prato que possa ser levado ao forno. Salpique com o parmesão e leve ao forno durante 20 minutos.

Vôngoles mediterrâneos

■ CRUZEIRO PL
■ CONSOLIDAÇÃO FORA DAS QUINTAS PP
■ ESTABILIZAÇÃO FORA DAS QUINTAS PP

Pique as chalotas e refogue com 4 colheres de sopa de água. Adicione os tomates, o aroma de conhaque, as ervas, o creme de leite e o amido de milho diluído em 4 colheres de sopa de água a fogo alto. Deixe refogar durante cerca de cinco minutos.

Adicione os vôngoles já lavados e cozinhe todo o preparo a fogo médio durante 25 minutos.

Sirva com os legumes de sua preferência.

■ **Para quatro pessoas**
■ **Tempo de preparo**
10 minutos
■ **Tempo de cozimento**
35 minutos
■ **Ingredientes**
> 6 chalotas
> 400 gramas de tomates moídos
> 1 colher de café de aroma de conhaque
> Tomilho
> 1 colher de sopa de orégano
> 4 colheres de sopa de creme de leite com 3% de gordura (alimento tolerado)
> 1 quilo de vôngoles
> 2 colheres de sopa de amido de milho (alimento tolerado)

■ *Contém um alimento e meio tolerado por pessoa*

Medalhões de linguado com salmão

■ **ATAQUE** ■ **CONSOLIDAÇÃO**
■ **CRUZEIRO** ■ **ESTABILIZAÇÃO**

- **Para quatro pessoas**
- **Tempo de preparo**
  20 minutos
- **Tempo de cozimento**
  20 minutos
- **Ingredientes**
  > 1 posta de salmão de 160 gramas
  > 4 filés de linguado
  > 1 limão
  > Sal grosso, pimenta-do-reino

Preaqueça o forno a 200 graus.

Corte a posta de salmão em quatro, sem a pele.

Separe os filés de linguado.

Pegue um filé, coloque um pedaço de salmão por cima e enrole-o com o filé. Prenda com um fio branco.

Coloque os medalhões em uma travessa. Tempere com sal grosso, pimenta-do-reino e uma fatia de limão.

Leve ao forno aquecido a 200 graus durante 20 minutos.
Sirva com molho bechamel ou, em fase de cruzeiro PL, com molho de tomate.

Coelho ao molho de mostarda e endívias na brasa

- ■ CRUZEIRO PL
- ■ CONSOLIDAÇÃO FORA DAS QUINTAS PP
- ■ ESTABILIZAÇÃO FORA DAS QUINTAS PP

■ **Para quatro pessoas**
■ **Tempo de preparo**
15 minutos
■ **Tempo de cozimento**
55 minutos
■ **Ingredientes**
> 1 peça de carne de coelho cortada em fatias
> 2 chalotas
> ½ litro de caldo sem gordura
> 3 colheres de sopa de mostarda
> 2 colheres de sopa de creme de leite com 3% de gordura (alimento tolerado)
> 1 pitada generosa de gengibre
> 1 colher de sopa de salsa e alho
> 2 folhas de alecrim
> Sal, pimenta-do-reino
Para as endívias
> 3 quilos de endívias
> 1 caldo sem gordura
> 1 colher de sopa de alho e salsa
> Pimenta-do-reino

■ *Contém meio alimento tolerado por pessoa*

Com papel-toalha, unte o fundo de uma panela com óleo. Adicione 100 mililitros de água e leve ao fogo, até que comece a ferver. Coloque os pedaços de carne de coelho e tempere de ambos os lados. Adicione as chalotas descascadas e picadas, mexendo até que fiquem douradas. Molhe com o caldo, adicione pimenta-do-reino e cubra, deixando cozinhar durante 30 minutos.

Em seguida, adicione a mostarda, o creme de leite, o gengibre, o alho, a salsa e o alecrim. Mexa bem com uma colher de pau. Deixe cozinhar durante 15 minutos.

Enquanto a carne de coelho cozinha, prepare as endívias. Corte-as em rodelas de cerca de 2 centímetros e lave-as. Coloque-as em um pano de prato, para absorver a água. Disponha as endívias em uma frigideira e refogue lentamente. Prepare um caldo com 100 mililitros de água. Adicione pimenta-do-reino e termine com um toque de alho e salsa.

Deixe cozinhar até secar a água.

Mexilhões orientais

- CRUZEIRO PL
- CONSOLIDAÇÃO
- ESTABILIZAÇÃO

Coloque os mexilhões já lavados em uma panela de pressão.

Cubra os mexilhões pela metade com água e adicione o extrato de tomate.

Descasque e pique as chalotas. Adicione-as ao preparo.

Em seguida, adicione e salsa, cominho e gengibre.

Sirva assim que os mexilhões se abrirem.

- **Para duas pessoas**
- **Tempo de preparo**
  10 minutos
- **Tempo de cozimento**
  10 minutos
- **Ingredientes**
  > 1 quilo de mexilhões
  > 1 lata de extrato de tomate
  > 2 chalotas
  > Salsa
  > 1 colher de café de cominho em pó
  > 1 pitada de gengibre em pó

Blanquette de filé mignon com anis e erva-doce

- ■ CRUZEIRO PL
- ■ CONSOLIDAÇÃO FORA DAS QUINTAS PP
- ■ ESTABILIZAÇÃO FORA DAS QUINTAS PP

- **Para quatro pessoas**
- **Tempo de preparo**
  35 minutos
- **Tempo de cozimento**
  1 hora e 15 minutos
- **Ingredientes**
  > 4 caules de erva-doce
  > 1 cebola grande
  > 4 cenouras
  > 1 alho-poró
  > 800 gramas de filé mignon sem gordura
  > 1 caldo de carne sem gordura
  > 2 cravos
  > 1 anis-estrelado
  > 2 folhas de louro
  > 2 colheres de sopa de amido de milho (alimento tolerado)
  > 800 gramas de abóbora-cheirosa
  > 1 colher de café de curry em pó
  > Sal, pimenta-do-reino

- *Contém meio alimento tolerado por pessoa*

Retire a parte dura da base de cada caule de funcho.

Descasque e pique a cebola em pedaços pequenos. Descasque as cenouras e corte-as em rodelas finas. Pique o funcho e o alho-poró. Coloque os legumes em um escorredor para lavar. Corte a carne em grandes pedaços. Refogue a carne e a cebola com 2 colheres de sopa de água em uma frigideira antiaderente. Assim que a carne começar a dourar, cubra com água e desfaça o cubo do caldo. Misture bem. Adicione os legumes, os cravos, o anis-estrelado e as folhas de louro. Adicione sal e pimenta-do-reino. Deixe ferver. Misture, depois deixe cozinhar a fogo brando durante uma hora. Adicione o amido de milho no último momento. Prove e melhore o tempero, se for necessário.

Durante este tempo, tire a casca da abóbora-cheirosa. Corte-a em pedaços de um centímetro. Refogue em uma frigideira antiaderente com um pouco de água durante trinta a quarenta minutos. Não deixe de colocar água quando esta evaporar. Adicione o curry ao final do cozimento. Adicione sal e pimenta-do-reino. Esmague a casca com um garfo.

Disponha a blanquette em pratos e sirva com purê de abóbora-cheirosa.

Na fase de consolidação, você poderá servir a blanquette com arroz, farinha etc.

Flã de cenoura

- **CRUZEIRO PL**
- **CONSOLIDAÇÃO FORA DAS QUINTAS PP**
- **ESTABILIZAÇÃO FORA DAS QUINTAS PP**

Preaqueça o forno a 240 graus, tirando a grelha.

Descasque, lave e raspe as cenouras.

Em um recipiente grande, bata os ovos, o requeijão cremoso, a noz-moscada e o emmental. Adicione sal e pimenta-do-reino (você pode mudar os condimentos e colocar curry, cominho etc.).

Disponha as cenouras raspadas em pequenas formas previamente untadas com a ajuda de um papel-toalha. Salpique com salsa. Despeje o creme de ovos por cima.

Leve as formas ao forno e deixe assar por 20 minutos.

Deixe esfriar um pouco, tire da forma em um prato e salpique com salsa. Você pode usar uma faca para ajudar a tirar os flãs da forma.

O flã de cenoura é um excelente acompanhamento para carnes brancas.

- **Para quatro pessoas**
- **Tempo de preparo**
  15 minutos
- **Tempo de cozimento**
  20 minutos
- **Ingredientes**
  > 200 gramas de cenouras
  > 2 ovos
  > 200 mililitros de requeijão cremoso com 0% de gordura (ou 100 mililitros de requeijão cremoso com 0% de gordura + 4 colheres de sopa de creme de leite com 3% de gordura)
  > ¼ de colher de café de noz-moscada em pó
  > 60 gramas de queijo emmental ralado com até 5% de gordura (alimento tolerado)
  > Salsa picada
  > Sal, pimenta-do-reino

- *Contém um alimento e meio tolerado por pessoa (de acordo com a utilização de creme de leite)*

Quiche de cogumelos e tofu cremoso

RECEITA VEGETARIANA

- CRUZEIRO PL
- CONSOLIDAÇÃO FORA DAS QUINTAS PP
- ESTABILIZAÇÃO FORA DAS QUINTAS PP

- **Para oito pessoas**
- **Tempo de preparo**
  20 minutos
- **Tempo de cozimento**
  45 minutos
- **Ingredientes**
  > 600 gramas de cogumelos (misturar diversos tipos)
  > Salsa picada
  > 400 gramas de tofu cremoso
  > 120 gramas de queijo emmental ralado com até 5% de gordura (alimento tolerado)
  > ½ colher de café de noz-moscada em pó
  > 8 tomates-cereja
  > 4 ovos
  > Sal, pimenta-do-reino

- *Contém meio alimento tolerado por pessoa*

Preaqueça o forno a 240 graus.

Lave os cogumelos e depois seque com um pano de prato. Corte-os em fatias finas e refogue devagar com um pouco de salsa em uma frigideira antiaderente. Adicione sal e pimenta-do-reino.

Enquanto refoga, misture o tofu, os ovos, o emmental e a noz-moscada em um recipiente. Quando começarem a dourar, adicione os cogumelos. Misture bem e melhore o tempero, se necessário.

Despeje o preparo em uma travessa e disponha os tomates-cereja, afundando-os ligeiramente. Salpique um pouco de salsa.

Leve ao forno durante 40 minutos. Verifique o cozimento e deixe mais tempo no forno, se necessário.

O quiche pode ser acompanhado de uma salada.

Abóbora à bolonhesa

- **CRUZEIRO PL**
- **CONSOLIDAÇÃO FORA DAS QUINTAS PP**
- **ESTABILIZAÇÃO FORA DAS QUINTAS PP**

Preaqueça o forno a 240 graus.

Corte as abóboras ao meio, no sentido do comprimento. Retire as sementes com a ajuda de uma colher de sopa.

Leve os pedaços de abóbora ao forno por 20 minutos.

Enquanto isso, descasque e corte a cebola em fatias finas, para misturar ao filé mignon moído. Refogue o preparo em uma frigideira antiaderente. Quando a carne estiver cozida, adicione o molho de tomate, os condimentos e a salsa. Adicione o sal e a pimenta-do-reino.

Quando os pedaços de abóbora estiverem cozidos, tire-os do forno e encha-os com a carne.

Leve ao forno a 240 graus novamente por 30 minutos.

- **Para quatro pessoas**
- **Tempo de preparo**
  15 minutos
- **Tempo de cozimento**
  50 minutos
- **Ingredientes**
  > 2 abóboras
  > 1 cebola
  > 400 gramas de filé mignon moído
  > 250 gramas de molho de tomate
  > ½ colher de café de pimenta doce vermelha em pó
  > 1 pitada generosa de gengibre em pó
  > Salsa picada
  > Sal, pimenta-do-reino

Cheeseburger ao curry

- 🟩 **CRUZEIRO PL**
- 🟧 **CONSOLIDAÇÃO FORA DAS QUINTAS PP**
- 🟦 **ESTABILIZAÇÃO FORA DAS QUINTAS PP**

Em um recipiente, misture todos os ingredientes do pão de forma, adicionando-os na ordem: farelos, fermento, requeijão cremoso e ovos. Despeje o preparo em duas formas redondas. Leve ao micro-ondas por 5 minutos e deixe esfriar.

Descasque e corte a cebola em rodelas finas.

Refogue em uma frigideira com um pouco de água e curry.

Lave o tomate e corte-o em rodelas.

Lave as folhas de alface.

Quando os pães estiverem mais frios, retire-os da forma e corte-os em dois. Grelhe-os em uma grelha para pães.

Disponha duas fatias por prato. Adicione o queijo, as rodelas de cebola ao curry, as rodelas de tomate e as folhas de alface. Em seguida, em uma das partes do sanduíche, adicione o presunto de frango. Adicione um pouco de ketchup light. Cubra com a outra metade do pão.

Faça o mesmo com o outro sanduíche.
Agora, nada mais resta senão saborear...

- **Para duas pessoas**
- **Tempo de preparo**
  15 minutos
- **Tempo de cozimento**
  15 minutos
- **Ingredientes**
  > 1 cebola grande
  > ½ colher de café de curry
  > 1 tomate
  > Folhas de alface
  > 80 gramas de requeijão light com 4 a 6% de gordura (fase de cruzeiro) ou 4 fatias de queijo cheddar light (fase de consolidação)
  > 2 fatias de presunto de frango
  > Um pouco de ketchup light (tolerado)
  Para o pão de forma Dukan
  > 2 colheres de sopa de farelo de aveia bem cheias
  > 1 colher de sopa de farelo de trigo bem cheia
  > 1 colher de café de fermento
  > 2 colheres de sopa de requeijão cremoso com 0% de gordura
  > 1 ovo + 2 claras

- *Contém meio alimento tolerado por pessoa (na fase de cruzeiro)*

Chili com carne e tofu

- ■ CRUZEIRO PL
- ■ CONSOLIDAÇÃO FORA DAS QUINTAS PP
- ■ ESTABILIZAÇÃO FORA DAS QUINTAS PP

- ■ **Para duas pessoas**
- ■ **Tempo de preparo**
  10 minutos
- ■ **Tempo de cozimento**
  20 minutos
- ■ **Ingredientes**
  > 2 dentes de alho
  > 2 cebolas
  > 2 pimentas verdes
  > 400 gramas de carne moída
  > 300 gramas de tofu
  > 1 lata de 500 gramas de extrato de tomate
  > 1 colher de sopa de chili em pó
  > 1 folha de louro
  > ¼ de colher de café de cominho em pó
  > Sal, pimenta-do-reino

Em uma frigideira antiaderente, refogue o alho picado, as cebolas cortadas em pedaços pequenos, as pimentas verdes cortadas em pedaços, a carne e o tofu esmigalhado em fogo médio durante 5 minutos.

Adicione os outros ingredientes e misture bem. Tempere com sal e pimenta-do-reino.

Assim que começar a ferver, cubra, reduza levemente o fogo e deixe cozinhar por 15 minutos.

Este prato fica ótimo se acompanhado de abobrinhas cozidas ao vapor ou uma salada.

Lasanha de berinjela com tofu

- CRUZEIRO PL
- CONSOLIDAÇÃO FORA DAS QUINTAS PP
- ESTABILIZAÇÃO FORA DAS QUINTAS PP

- **Para duas pessoas**
- **Tempo de preparo**
  25 minutos
- **Tempo de repouso**
  30 minutos
- **Tempo de cozimento**
  35 minutos
- **Ingredientes**
  > 1 berinjela de tamanho médio
  > 1 abobrinha
  > 1 ou 2 tomates
  > 100 gramas de tofu de ervas finas
  > 1 cebola
  > 1 dente de alho
  > ½ cubo de caldo de legumes ou de galinha com 0% de gordura
  > 1 colher de café de condimentos italianos já prontos
  > 60 gramas de queijo emmental ralado com até 5% de gordura (alimento tolerado)
  > Sal
- **Contém um alimento tolerado por pessoa**

Corte a berinjela em fatias finas e coloque um pouco de sal, para retirar o excesso de água. Deixe de repouso por, no mínimo, 30 minutos. Em seguida, lave as fatias de berinjela com água fria e seque-as bem.

Preaqueça o forno a 240 graus. Corte as abobrinhas, os tomates e o tofu em fatias finas. Pique a cebola e o alho.

Em uma frigideira antiaderente, grelhe as fatias de berinjela por alguns minutos, com quatro colheres de sopa de água e o meio cubo esmigalhado, até que as fatias fiquem levemente douradas. Faça o mesmo com as fatias de abobrinha e de tofu, separadamente. Deixe reservado.

Refogue a cebola e o alho durante 1 ou 2 minutos com duas colheres de sopa de água e adicione os tomates. Salpique de condimentos italianos.

Em uma travessa, disponha uma primeira camada de berinjela, de maneira a cobrir toda a travessa. Disponha as abobrinhas por cima das berinjelas. Faça uma nova camada com as fatias de tofu e coloque um pouco de emmental ralado light. Adicione os tomates, as rodelas de cebola e o alho.

Termine com uma camada de berinjelas. Leve ao forno por 25 minutos. Cinco minutos antes do fim do cozimento, adicione um pouco mais de emmental ralado light.

Carne com pimentões

- ■ CRUZEIRO PL
- ■ CONSOLIDAÇÃO FORA DAS QUINTAS PP
- ■ ESTABILIZAÇÃO FORA DAS QUINTAS PP

- ■ **Para duas pessoas**
- ■ **Tempo de preparo**
  15 minutos
- ■ **Tempo de cozimento**
  20 minutos
- ■ **Ingredientes**
  > 2 pimentões vermelhos
  > 1 pimentão verde
  > 400 gramas de carne bovina
  > 2 chalotas
  > 1 colher de café de molho shoyu
  > Ervas provençais
  > Sal, pimenta-do-reino

Corte e retire as sementes dos pimentões. Corte-os em fatias finas.

Corte a carne em pequenos pedaços.

Em uma panela antiaderente, refogue as chalotas cortadas e os pedaços de carne de 5 a 10 minutos. Adicione sal.

Adicione as fatias de pimentão e deixe cozinhar por 10 minutos, mexendo regularmente. Dois minutos antes do fim do cozimento, adicione o molho shoyu.

Tempere com sal, pimenta-do-reino e ervas provençais.

Frango ao curry e legumes

■ **CONSOLIDAÇÃO FORA DAS QUINTAS PP**
■ **ESTABILIZAÇÃO FORA DAS QUINTAS PP**

■ **Para duas pessoas**
■ **Tempo de preparo**
  20 minutos
■ **Tempo de cozimento**
  1 hora e 10 minutos
■ **Ingredientes**
  > 1 berinjela
  > 2 abobrinhas
  > 2 cebolas
  > 1 colher de café de azeite
  > 1 cubo de caldo de galinha com 0% de gordura
  > 1 lata de 400 gramas de extrato de tomate
  > 2 colheres de café de curry
  > 1 colher de sopa de alho e salsa
  > 2 filés de frango
  > 1 maçã
  > 1 pitada de gengibre
  > 4 colheres de sopa de creme de leite líquido com 3% de gordura (alimento tolerado)
  > Sal, pimenta-do-reino

■ *Contém dois alimentos tolerados por pessoa*

Lave e corte as berinjelas e as abobrinhas em pequenos cubos.

Descasque e pique uma cebola. Doure os legumes durante 20 minutos em uma frigideira antiaderente, com azeite e quatro colheres de sopa de água. Adicione mais água, caso os legumes grudem.

Adicione a metade do cubo de caldo esmigalhado e o extrato de tomate. Misture bem. Adicione uma colher de café de curry e um pouco de alho e salsa. Coloque sal e pimenta-do-reino. Deixe cozinhar por 40 minutos em fogo brando.

Corte os filés de frango em pequenos pedaços.

Descasque e pique a cebola restante. Descasque e corte a maçã em fatias finas. Doure a cebola e a maçã em uma frigideira antiaderente com quatro colheres de sopa de água. Assim que estiver pronto, esmigalhe a outra metade do cubo de caldo em quatro colheres de sopa de água. Adicione os pedaços de frango, espere um instante e adicione o curry restante, o gengibre e deixe cozinhar. Tempere com um pouco de sal e de pimenta-do-reino.

Ao final do preparo, adicione o creme de leite líquido.

Filés de tainha com manjericão e tomate

- CRUZEIRO PL
- CONSOLIDAÇÃO FORA DAS QUINTAS PP
- ESTABILIZAÇÃO FORA DAS QUINTAS PP

- **Para três pessoas**
- **Tempo de preparo**
  15 minutos
- **Tempo de cozimento**
  10 minutos
- **Ingredientes**
  > 350 gramas de tomate
  > 1 dente de alho
  > Folhas Manjericão
  > 2 colheres de café de azeite
  > 6 filés de tainha
  > 1 colher de sopa de vinagre balsâmico
  > Sal, pimenta-do-reino

Lave os tomates e corte-os em pedaços iguais. Descasque o alho.

Lave, seque e corte o manjericão com um cortador elétrico. Em seguida, adicione uma colher de café de azeite. Misture bem para obter uma espécie de purê.

Seque os filés de tainha com papel-toalha.

Passe o resto do azeite em todo o peixe. Esquente uma frigideira antiaderente e adicione os filés, deixando-os dourar em fogo alto por dois minutos para cada lado. Adicione sal. Retire os filés. Mantenha-os aquecidos.

Despeje o vinagre na frigideira e raspe com uma espátula para dissolver os molhos. Deixe ferver durante um minuto. Adicione os tomates. Esquente durante dois minutos no molho, misturando bem, para que peguem o gosto. Adicione sal e pimenta-do-reino. Transfira o conteúdo da frigideira para um prato grande.

Disponha os filés de tainha sobre os tomates. Por cima dos filés, coloque o purê de manjericão, e decore, eventualmente, com algumas folhas.

Sirva imediatamente.

Vieiras com tomate recheado

- ■ CONSOLIDAÇÃO FORA DAS QUINTAS PP
- ■ ESTABILIZAÇÃO FORA DAS QUINTAS PP

- **Para duas pessoas**
- **Tempo de preparo**
  20 minutos
- **Tempo de cozimento**
  20 minutos
- **Ingredientes**
  > 4 colheres de café de mostarda
  > 1 pequeno ramo de ervas finas
  > 300 gramas de tomate
  > 1 maçã
  > 300 gramas de vieiras
  > 2 chalotas
  > 1 pitada generosa de páprica
  > 1 limão
  > 2 colheres de sopa de creme de leite com 3% de gordura (alimento tolerado)
  > Salsa picada
  > Sal, pimenta-do-reino

- *Contém um alimento tolerado por pessoa*

Preaqueça o forno a 180 graus.

Misture a mostarda com as ervas finas, o sal e a pimenta-do-reino. Tire uma pequena parte de cima do tomate e coloque os pedaços para gratinar. Reparta o preparo em todos os tomates e leve ao forno por 20 minutos.

Enquanto isso, descasque e corte a maçã em fatias finas. Em uma frigideira antiaderente, refogue as vieiras com as fatias de maçã. Adicione as chalotas picadas e temperadas com um pouco de sal, pimenta e páprica. Em seguida, acrescente o suco de limão e o creme de leite. Deixe secar um pouco em fogo baixo.
Disponha nos pratos com um toque de salsa picada e com os tomates grelhados.

RECEITAS - PRATOS PRINCIPAIS

Frango com leite de coco, vagens e tofu

■ CONSOLIDAÇÃO FORA DAS QUINTAS PP
■ ESTABILIZAÇÃO FORA DAS QUINTAS PP

- **Para duas pessoas**
- **Tempo de preparo**
  10 minutos
- **Tempo de cozimento**
  15 minutos
- **Ingredientes**
  > 1 pimentão verde
  > 2 filés de frango
  > 200 mililitros de leite de coco light (alimento tolerado)
  > 1 colher de café de curry em pó
  > 100 a 150 gramas de tofu
  > 2 molhos de vagem
  > Um pouco de grãos de gergelim e papoula
  > Sal, pimenta-do-reino

Lave e retire as sementes do pimentão. Corte em fatias finas.

Refogue as chalotas com leite de coco e curry em uma frigideira antiaderente. Adicione o pimentão.

Corte o tofu em cubinhos. Em outra frigideira, refogue a vagem com o tofu, em um pouco de molho de leite de coco. Tempere com sal e pimenta do reino.

No prato, apresente os filés de frango com um pouco de molho de leite de coco e um pouco de pimentão.

Em seguida, disponha as vagens e os cubinhos de tofu. Finalize com um toque de grãos de gergelim e papoula sobre os cubinhos de tofu.

Camarões e frango com leite de coco e especiarias

■ CONSOLIDAÇÃO FORA DAS QUINTAS PP
■ ESTABILIZAÇÃO FORA DAS QUINTAS PP

■ **Para duas pessoas**
■ **Tempo de preparo**
  20 minutos
■ **Tempo de cozimento**
  20 minutos
■ **Ingredientes**
  > 1 filé de frango
  > 300 gramas de camarão
  > 2 dentes de alho
  > 1 cebola
  > 1 colher de café de curry em pó
  > ½ colher de café de pimenta doce vermelha em pó
  > 200 mililitros de leite de coco light (alimento tolerado)
  > 6 aspargos brancos
  > Sal, pimenta-do-reino

■ *Contém um alimento tolerado por pessoa*

Corte o filé de frango em pedaços e refogue em fogo brando em uma frigideira antiaderente, com um pouco de água. Quando a água evaporar, adicione os camarões anteriormente descascados. Deixe cozinhar em fogo brando durante 1 minuto, mexendo com uma colher de pau.

Descasque o alho e passe em um espremedor de alho.

Em uma frigideira, adicione quatro colheres de sopa de água. Adicione a mistura de alho com cebola. Esquente em fogo brando durante 1 minuto. Em seguida, adicione os condimentos, o sal e a pimenta-do-reino. Termine com o leite de coco. Deixe cozinhar durante 5 minutos e mexa de vez em quando.

Adicione os camarões e os pedaços de frango. Misture tudo. Deixe cozinhar em fogo brando durante 5 minutos.

Esquente os aspargos já cozidos. Pode ser em uma frigideira, durante 5 minutos, ou no forno micro-ondas, durante um minuto, em fogo brando.

Disponha os aspargos nos pratos e adicione a mistura de camarões e frango com o molho de coco e os condimentos.

Sobremesas

Sorvete de muesli

- **Para duas pessoas**
- **Tempo de preparo**
  15 minutos
- **Tempo de cozimento**
  15 minutos
- **Tempo de refrigeração**
  4 horas
- **Ingredientes**
  > 250 mililitros de leite desnatado
  > ½ fava de baunilha
  > 4 colheres de sopa de farelo de aveia
  > 3 colheres de sopa de adoçante em pó (ou mais, a gosto)
  > 1 ovo
  > 2 iogurtes com 0% de gordura
  > 20 gotas de aroma de laranja com Grand Marnier

■ ATAQUE   ■ CONSOLIDAÇÃO
■ CRUZEIRO ■ ESTABILIZAÇÃO

Ferva o leite com meia fava de baunilha, esfregando-a no fundo da panela. Fora do fogo, adicione o farelo de aveia e uma colher de sopa de adoçante em pó. Misture bem. Leve tudo novamente ao fogo, para engrossar o farelo de aveia. Adicione o ovo batido em omelete. Retire do fogo.

Em um recipiente grande, misture os iogurtes com o resto do adoçante em pó e o aroma. Adicione à mistura com o farelo de aveia.

Disponha o preparo em copinhos e deixe esfriar à temperatura ambiente durante 30 minutos.

Após este tempo, leve os copinhos ao congelador durante quatro horas, no mínimo. Misture constantemente, para evitar a formação de cristais.

Suflê gelado de chocolate

- ■ CRUZEIRO
- ■ CONSOLIDAÇÃO FORA DAS QUINTAS PP
- ■ ESTABILIZAÇÃO FORA DAS QUINTAS PP

- ■ **Para oito pessoas**
- ■ **Tempo de preparo**
  15 minutos
- ■ **Tempo de cozimento**
  5 minutos
- ■ **Tempo de refrigeração**
  8 horas
- ■ **Ingredientes**
  > 8 colheres de café de cacau em pó sem açúcar (alimento tolerado)
  > 1 colher de sopa de aroma de chocolate amargo
  > 1 colher de café de aroma de café
  > 2 ovos
  > 3 folhas de gelatina
  > 1 pitada de sal
  > 10 colheres de sopa de requeijão cremoso com 0% de gordura
  > 4 colheres de sopa de adoçante em pó

- ■ Contém um alimento tolerado por pessoa

Em uma panela, esquente o cacau em pó com 100 mililitros de água e os aromas de chocolate e café. Fora do fogo, adicione duas gemas de ovo e a gelatina, previamente amolecida na água.

Bata as claras em neve com uma pitada de sal.

Misture o requeijão cremoso e o adoçante em uma batedeira. Adicione cacau ao preparo. Misture bem e adicione as claras delicadamente. Despeje o preparo em formas de inox, depois leve à geladeira durante 8 horas.

Tire os suflês da geladeira dez minutos antes de servir.

Mousse aerada de limão

■ **ATAQUE** ■ **CONSOLIDAÇÃO**
■ **CRUZEIRO** ■ **ESTABILIZAÇÃO**

- **Para oito a dez copos**
- **Tempo de preparo**
  15 minutos
- **Tempo de cozimento**
  10 minutos
- **Tempo de refrigeração**
  4 horas
- **Ingredientes**
  > 3 folhas de gelatina
  > 2 a 3 colheres de sopa de adoçante (ou mais, a gosto)
  > 2 colheres de café de aroma de limão
  > 5 gotas de corante verde (facultativo)
  > 4 claras de ovos
  > 1 pitada de sal
  > 400 gramas de requeijão cremoso com 0% de gordura

- *Contém um alimento tolerado por pessoa*

Embeba as folhas de gelatina na água fria durante 5 minutos.

Em uma panela, adicione o adoçante e quatro colheres de sopa de água. Deixe ferver por dois minutos. Em seguida, adicione o aroma de limão, as folhas de gelatina escorridas e o corante. Misture e retire do fogo.

Em um recipiente, bata os ovos em claras com uma pitada de sal. Adicione o xarope aromatizado aos poucos, sem parar de bater. Acrescente o requeijão cremoso delicadamente, para não "quebrar" as claras em neve.

Divida o preparo em copos e reserve por quatro horas na geladeira.

Creme de tofu e chocolate

- **Para seis pessoas**
- **Tempo de preparo**
  5 minutos
- **Tempo de refrigeração**
  1 hora
- **Ingredientes**
  > 200 gramas de tofu cremoso
  > 4 colheres de sopa de requeijão cremoso com 0% de gordura
  > 2 iogurtes com aroma de baunilha com 0% de gordura
  > 3 colheres de café de cacau em pó sem açúcar (alimento tolerado)
  > 2 colheres de sopa de adoçante, ou mais, a gosto

- *Contém meio alimento tolerado por pessoa*

■ **CRUZEIRO**
■ **CONSOLIDAÇÃO FORA DAS QUINTAS PP**
■ **ESTABILIZAÇÃO FORA DAS QUINTAS PP**

Bata no liquidificador o tofu, o requeijão cremoso, os iogurtes, o cacau em pó sem açúcar e o adoçante, até obter uma mistura cremosa.

Divida o preparo em copos e mantenha na geladeira durante uma hora.

254 RECEITAS - SOBREMESAS

Compota de ruibarbo

- CRUZEIRO PL
- CONSOLIDAÇÃO FORA DAS QUINTAS PP
- ESTABILIZAÇÃO FORA DAS QUINTAS PP

- **Para seis pessoas**
- **Tempo de preparo**
  10 minutos
- **Tempo de repouso**
  15 minutos
- **Tempo de cozimento**
  30 minutos
- **Ingredientes**
  > 1 quilo de ruibarbo
  > 6 colheres de sopa de adoçante (ou mais, a gosto)
  > 20 gotas de aroma de baunilha ou outro aroma (de acordo com o aroma, adicione 10 gotas, e adicione mais depois, se necessário)

Lave o ruibarbo rapidamente e corte, sem descascar, em pedaços de 1 a 2 centímetros de espessura.

Coloque os pedaços em uma panela com um pouco de adoçante. Deixe a água sair por dez a 15 minutos.

Quando o ruibarbo tiver liberado parte de seu líquido, cozinhe em fogo brando no suco obtido, mexendo regularmente, até que se transforme em compota. Deixe cozinhar durante cerca de 30 minutos, até que obtenha a consistência desejada. Adicione o aroma ao final do cozimento.

Deixe esfriar um pouco e, em seguida, bata no liquidificador.

Bolo trapezière

■ CRUZEIRO PL
■ CONSOLIDAÇÃO FORA DAS QUINTAS PP
■ ESTABILIZAÇÃO FORA DAS QUINTAS PP

- **Para seis pessoas**
- **Tempo de preparo**
  25 minutos
- **Tempo de cozimento**
  30 minutos
- **Tempo de refrigeração**
  1 hora e meia
- **Ingredientes**
  > 2 folhas de gelatina
  > ½ litro de leite desnatado
  > 1 fava de baunilha
  > 3 ovos
  > 2 colheres de sopa de adoçante
  > 2 colheres de sopa de amido de milho (alimento tolerado)
  > 1 colher de sopa de aroma de rum
  > 1 sachê de gelatina em pó (6 gramas)
  > Sal
  Para a massa
  > 3 colheres de sopa de farelo de aveia
  > 1 colher de sopa de amido de milho (alimento tolerado)
  > 1 colher de sopa de leite desnatado em pó
  > 2 ovos
  > 2 iogurtes naturais com 0% de gordura
  > ½ sachê de fermento
  > 2 colheres de sopa de adoçante

■ *Contém meio alimento tolerado por pessoa*

Preaqueça o forno a 180 graus.

Misture todos os ingredientes da massa. Despeje em uma forma de silicone. Leve ao forno durante 20 minutos. Deixe esfriar.

Coloque as folhas de gelatina na água fria.

Ferva o leite com a fava de baunilha partida, tendo-a esfregado anteriormente no fundo da panela. Enquanto isso, misture as gemas de ovo, o adoçante e o amido de milho em um recipiente. Reserve as claras para mais tarde.

Retire o leite do fogo e adicione as folhas de gelatina. Despeje o leite na mistura, mexendo bem. Coloque todo o preparo em uma panela. Deixe engrossar em fogo baixo, mexendo com uma colher de pau. Antes de ferver, assim que a mistura estiver consistente, retire do fogo. Reserve na geladeira.

Divida o bolo em duas partes de mesma espessura. Bata as claras em neve com uma pitada de sal e, por fim, adicione a gelatina em pó diluída em um pouco de água. Adicione as claras em neve ao preparo anterior.

Reserve na geladeira durante 1 hora, depois reparta a mousse em uma das metades do bolo. Recubra com a outra metade.

RECEITAS - SOBREMESAS

Pão de especiarias

- ATAQUE
- CONSOLIDAÇÃO
- CRUZEIRO
- ESTABILIZAÇÃO

Preaqueça o forno a 180 graus.

Misture os farelos, o leite em pó e o fermento em um recipiente. Adicione o requeijão cremoso, mexendo bem. Em seguida, adicione os ovos e as três claras. Mexa até obter uma mistura homogênea. Adicione os condimentos e o adoçante.

Despeje em uma forma de bolo untada com ajuda de papel-toalha. Leve ao forno durante 45 minutos. Verifique o cozimento usando a ponta de uma faca, que deve sair seca.

- **Para seis a oito pessoas**
- **Tempo de preparo**
  10 minutos
- **Tempo de cozimento**
  45 minutos
- **Ingredientes**
  > 8 colheres de sopa de farelo de aveia
  > 4 colheres de sopa de farelo de trigo
  > 2 colheres de sopa de leite desnatado em pó
  > 1 sachê de fermento
  > 6 colheres de sopa de requeijão cremoso com 0% de gordura
  > 3 ovos + 3 claras
  > 2 colheres de sopa de mistura de condimentos para pão de especiarias (canela, anis, noz-moscada, gengibre, cravo)
  > 2 colheres de sopa de adoçante líquido

Creme de tangerina com queijo frescal

- ■ CRUZEIRO PL
- ■ CONSOLIDAÇÃO FORA DAS QUINTAS PP
- ■ ESTABILIZAÇÃO FORA DAS QUINTAS PP

Coloque as folhas de gelatina na água fria durante 5 minutos.

Em uma panela, coloque o leite, as raspas de tangerina, a canela e as favas de baunilha partidas, tendo-as esfregado no fundo da panela. Deixe ferver e descansar por 20 minutos.

Em um recipiente grande, bata as gemas com o adoçante, o requeijão cremoso, o creme de leite e os aromas.

Despeje o leite quente sobre as gemas de ovo com a ajuda de uma peneira, mexendo bem. Leve ao fogo brando, sem deixar de mexer sempre com uma espátula de madeira, até a obtenção de um creme. Fora do fogo, adicione a gelatina ao preparo quente. Deixe esfriar à temperatura ambiente. Despeje o preparo em pequenos copos. Deixe esfriar à temperatura ambiente. Depois, leve à geladeira durante 5 horas.

Você pode variar os sabores, utilizando aroma de abacaxi com raspas de limão.

- ■ **Para seis pessoas**
- ■ **Tempo de preparo**
  20 minutos
- ■ **Tempo de cozimento**
  30 minutos
- ■ **Tempo de refrigeração**
  5 horas
- ■ **Ingredientes**
  > 6 folhas de gelatina
  > 1 litro de leite desnatado
  > Raspas de 2 tangerinas
  > 1 colher de café de canela em pó
  > 2 favas de baunilha
  > 4 gemas de ovo
  > 4 colheres de sopa de adoçante em pó (ou mais, a gosto)
  > 8 quadrados de queijo frescal com 0% de gordura
  > 6 colheres de sopa de creme de leite com 3% de gordura (tolerado e facultativo)
  > 1 colher de sopa de aroma de tangerina
  > 1 colher de café de aroma de laranja
- ■ *Contém um alimento tolerado por pessoa (facultativo)*

Mousse de limão

- ■ **CRUZEIRO PL**
- ■ **CONSOLIDAÇÃO FORA DAS QUINTAS PP**
- ■ **ESTABILIZAÇÃO FORA DAS QUINTAS PP**

Prepare as raspas de um limão. Esprema todos os limões. Coloque o suco e as raspas em uma panela. Adicione as gemas de ovo e o adoçante. Misture bem e adicione o amido de milho, diluindo progressivamente. Leve a mistura ao fogo, mexendo sempre com uma colher de pau. Deixe engrossar e adicione o leite desnatado aos poucos. Mexa e deixe engrossar. Desligue o fogo e espere o preparo ficar morno.

Bata as claras em neve até ficar bem firme. Adicione delicadamente ao preparo anterior. Despeje em copinhos e leve à geladeira durante trinta minutos antes de servir.

- ■ **Para seis pessoas**
- ■ **Tempo de preparo**
  15 minutos
- ■ **Tempo de cozimento**
  20 minutos
- ■ **Tempo de refrigeração**
  30 minutos
- ■ **Ingredientes**
  > 3 limões
  > 3 ovos
  > 3 colheres de sopa de adoçante em pó (ou mais, a gosto)
  > 3 colheres de sopa de amido de milho (alimento tolerado)
  > ½ litro de leite desnatado

- ■ *Contém meio alimento tolerado por pessoa*

Rocambole de creme de Grand Marnier

- **Para seis pessoas**
- **Tempo de preparo**
  15 minutos
- **Tempo de cozimento**
  25 minutos
- **Tempo de refrigeração**
  2 horas
- **Ingredientes**
  > 3 ovos
  > 3 colheres de sopa de farelo de aveia
  > 1 colher de sopa de leite desnatado em pó
  > 2 iogurtes com 0% de gordura
  > 2 colheres de sopa de amido de milho (alimento tolerado)
  > ½ sachê de fermento
  > 1 colher de café de aroma de baunilha
  > 2 colheres de sopa de adoçante em pó
  > Um pouco de cacau sem açúcar (alimento tolerado)
  Para o creme
  > 2 folhas de gelatina
  > 250 mililitros de leite desnatado
  > 2 gemas de ovo
  > 1 colher de sopa de adoçante em pó
  > 1 colher de sopa de amido de milho (alimento tolerado)
  > 1 colher de café de aroma de laranja com Grand Marnier

- *Contém meio alimento tolerado por pessoa*

■ **CRUZEIRO**
■ **CONSOLIDAÇÃO FORA DAS QUINTAS PP**
■ **ESTABILIZAÇÃO FORA DAS QUINTAS PP**

Coloque as folhas de gelatina na água fria durante cinco minutos. Ferva o leite. Adicione as gemas de ovo, o adoçante, o amido de milho e o aroma em um recipiente.

Retire o leite do fogo e adicione a gelatina. Misture bem. Despeje o leite delicadamente ao preparo de ovos, misturando com uma colher de pau. Despeje todo o preparo em uma panela e deixe engrossar. Deixe esfriar à temperatura ambiente e, em seguida, por duas horas na geladeira.

Duas horas depois, você poderá preparar a massa. Preaqueça o forno a 160 graus, sem a grelha.

Separe as claras das gemas. Misture as gemas, o farelo, o leite, o amido de milho, o fermento, o aroma e o adoçante. Misture de maneira rápida e firme, com um batedor de claras. Adicione as claras. Coloque a forma de silicone (mais fácil para tirar da forma) sobre a grelha e espalhe o preparo da massa. Leve ao forno e deixe assar até que a massa fique bem dourada. Retire da forma sobre um pano de prato úmido e enrole imediatamente. Deixe ficar morno e desenrole. Reparta o creme e enrole delicadamente. No momento de servir, corte as extremidades do rocambole e divida-o em seis partes. Disponha em pratos e salpique ligeiramente cacau em pó sem açúcar (alimento tolerado).

Mousse de dois limões

- **CRUZEIRO**
- **CONSOLIDAÇÃO FORA DAS QUINTAS PP**
- **ESTABILIZAÇÃO FORA DAS QUINTAS PP**

- **Para seis pessoas**
- **Tempo de preparo**
  25 minutos
- **Tempo de cozimento**
  35 minutos
- **Tempo de refrigeração**
  2 horas e meia
- **Ingredientes**
  > 4 colheres de sopa de adoçante em pó
  > 1 limão amarelo
  > 1 limão verde
  Para a mousse
  > 2 limões amarelos
  > 2 folhas de gelatina
  > 4 ovos
  > 3 colheres de sopa de adoçante em pó
  > 150 mililitros de leite desnatado
  > 1 pitada de sal
  > 6 merengues Dukan (facultativo)

Misture o adoçante e 50 mililitros de água. Esquente a fogo brando e reserve.

Corte um limão amarelo e um limão verde em rodelas finas, tirando as sementes. Corte-os em quatro. Deixe ferver no preparo do adoçante com a água (xarope), mas em fogo brando, por cerca de vinte minutos. Deixe esfriar e escoe. Reserve os limões cristalizados para a decoração, assim como 2 colheres de sopa do xarope para as claras em neve.

Raspe todos os limões, conservando as raspas. Reserve em um pequeno copo. Esprema o suco dos limões e reserve.

Amoleça as folhas de gelatina na água fria.

Prepare o creme: bata dois ovos inteiros e duas gemas com o adoçante, até que a mistura fique com aspecto de mousse (reserve as claras). Adicione as raspas e o suco de limão e, adicionando o preparo em uma panela, deixe engrossar um pouco a fogo brando. Adicione o leite lentamente. Retire do fogo e acrescente as folhas de gelatina.

Bata as claras em neve com uma pitada de sal. Ao fim, misture lentamente 2 colheres de sopa de xarope e misture ao creme. Para montar os copinhos de mousse, esmague os merengues e reparta-os nos copos. Cubra-os com uma camada de mousse e decore com os limões cristalizados. Reserve na geladeira ao menos duas horas e meia antes de servir.

268 RECEITAS - SOBREMESAS

Crème brûlée de baunilha e avelã com morango

■ **CONSOLIDAÇÃO FORA DAS QUINTAS PP**
■ **ESTABILIZAÇÃO FORA DAS QUINTAS PP**

- **Para seis porções**
- **Tempo de preparo**
  15 minutos
- **Tempo de cozimento**
  40 minutos
- **Tempo de refrigeração**
  1 hora
- **Ingredientes**
  > ½ litro de leite desnatado
  > 1 fava de baunilha
  > 4 gemas de ovo
  > 6 colheres de sopa de adoçante em pó
  > ½ colher de café de aroma de avelã grelhada
  > 12 morangos
  > 6 colheres de sopa de creme de leite com 3% de gordura (alimento tolerado)

- *Contém um alimento tolerado por pessoa*

Em uma panela, coloque o leite desnatado e a fava de baunilha quebrada e esfregada no fundo da panela. Ferva, deixe descansar de cinco a dez minutos e retire a fava de baunilha.

Tire a grelha do forno e preaqueça a 180 graus.

Em um recipiente grande, misture as gemas de ovo com o adoçante e o aroma de avelã grelhada.

Lave e corte os morangos em pequenos pedaços.

Disponha-os em pequenas formas.

Misture o leite quente e as gemas de ovo com uma colher de pau. Adicione o creme de leite. Despeje o preparo sobre os morangos, arrume as formas na grelha e leve ao forno durante 30 minutos. Deixe esfriar à temperatura ambiente, depois leve à geladeira durante uma hora.

RECEITAS - SOBREMESAS

Abacaxi com creme inglês gelado

■ **CONSOLIDAÇÃO FORA DAS QUINTAS PP**
■ **ESTABILIZAÇÃO FORA DAS QUINTAS PP**

- **Para duas pessoas**
- **Tempo de preparo**
  15 minutos
- **Tempo de cozimento**
  20 minutos
- **Tempo de congelamento**
  3 horas
- **Ingredientes**
  > 200 mililitros de leite desnatado
  > 1 fava de baunilha
  > 3 gemas de ovo
  > 3 colheres de sopa de adoçante em pó
  > 20 gotas de aroma de rum
  > 2 fatias grandes de abacaxi

Em uma panela, coloque o leite desnatado e a fava de baunilha quebrada e esfregada no fundo da panela. Deixe ferver.

Em um grande recipiente, bata as gemas de ovo com o adoçante em pó e o aroma de rum.

Despeje o leite quente sobre as gemas e misture bem.

Leve o preparo ao fogo brando, mexendo sem parar com uma espátula de madeira, até a obtenção de um creme. Despeje o preparo em copos.

Deixe esfriar à temperatura ambiente, depois por três horas no congelador.

No momento de servir a sobremesa, prepare o abacaxi.
Tire o creme do congelador.

Disponha tudo em um prato e deguste.

RECEITAS - SOBREMESAS

Clafoutis de pistache e damasco

■ **CONSOLIDAÇÃO FORA DAS QUINTAS PP**
■ **ESTABILIZAÇÃO FORA DAS QUINTAS PP**

- **Para seis pessoas**
- **Tempo de preparo**
  10 minutos
- **Tempo de cozimento**
  45 minutos
- **Ingredientes**
  > 4 ovos
  > 30 gramas de farinha de trigo integral
  > 400 mililitros de leite desnatado
  > 3 colheres de sopa de adoçante
  > 1 colher de café de fermento
  > 2 colheres de sopa de aroma de pistache
  > 28 rodelas de damasco

Preaqueça o forno a 180 graus.

Bata os ovos em omelete com a farinha, o leite, o adoçante, o fermento e o aroma.

Disponha as rodelas de damasco em fileiras em um prato antiaderente, cobrindo-as com o preparo.

Leve ao forno e asse por 45 minutos.

Verifique o cozimento do *clafoutis* e deixe mais tempo, se necessário. Tire do forno e deixe ficar morno antes de degustar.

RECEITAS - SOBREMESAS

Compota de maçã

■ **CONSOLIDAÇÃO FORA DAS QUINTAS PP**
■ **ESTABILIZAÇÃO FORA DAS QUINTAS PP**

■ **Para quatro pessoas**
■ **Tempo de preparo**
 25 minutos
■ **Tempo de cozimento**
 30 minutos
■ **Ingredientes**
 > 1 laranja
 > 1 quilo de maçãs
 > 1 canela em bastão
 > 1 cravo
 > 4 colheres de sopa de farelo de aveia
 > 2 cápsulas de cardamomo

Descasque a laranja a corte-a em cruz.

Descasque as maçãs e corte-as em pequenos cubos.

Doure ligeiramente a canela, o cravo, o farelo de aveia e os grãos das cápsulas de cardamomo a seco em uma frigideira antiaderente. Adicione a laranja e as maçãs.

Cozinhe a fogo médio em uma panela coberta, até que as maçãs fiquem moles.

Panna cotta de baunilha, xarope balsâmico e framboesa

■ CONSOLIDAÇÃO FORA DAS QUINTAS PP
■ ESTABILIZAÇÃO FORA DAS QUINTAS PP

- Para quatro pessoas
- Tempo de preparo
  15 minutos
- Tempo de cozimento
  20 minutos
- Tempo de refrigeração
  8 horas
- Ingredientes
  > 4 folhas de gelatina
  > ½ litro de leite desnatado
  > 2 favas de baunilha
  > 4 gemas de ovos
  > 4 colheres de sopa de adoçante em pó
  > 4 colheres de sopa de creme de leite com 3% de gordura (alimento tolerado)
  > Xarope de vinagre balsâmico
  > 20 framboesas (ou mais, para os gulosos)

- Contém um alimento tolerado por pessoa

Amoleça as folhas de gelatina durante 5 minutos na água fria.

Em uma panela, coloque o leite desnatado e a fava de baunilha quebrada e esfregada no fundo da panela. Deixe ferver.

Em um recipiente, bata os ovos com 2 colheres de sopa de adoçante em pó. Tire as favas de baunilha e despeje o leite nas gemas, misturando tudo. Despeje todo o preparo em uma panela e leve ao fogo brando, mexendo sem parar com uma espátula de madeira, até a obtenção de um creme.

Fora do fogo, adicione a gelatina.

Deixe esfriar à temperatura ambiente.

Com uma batedeira, misture o creme e o adoçante restante. Junte os dois preparos. Despeje tudo em grandes copos e deixe esfriar à temperatura ambiente. Em seguida, leve à geladeira por 8 horas.

No momento de servir, tire da forma em pratos de sobremesa. Adicione o xarope de vinagre balsâmico e decore com framboesas.

Dicas: para tirar a panna cotta mais facilmente das formas, deve-se fazer uma corrente de ar, que facilita a combustão. Para o xarope de vinagre balsâmico, são necessários cinco litros de vinagre, que devem ser fervidos para se obter um litro de xarope (não se esqueça de arejar o ambiente, pois o cheiro é forte).

RECEITAS - SOBREMESAS

Mousse de soja e morango

■ **CONSOLIDAÇÃO FORA DAS QUINTAS PP**
■ **ESTABILIZAÇÃO FORA DAS QUINTAS PP**

- **Para duas pessoas**
- **Tempo de preparo**
  10 minutos
- **Tempo de refrigeração**
  10 minutos
- **Ingredientes**
  > 100 gramas de morango
  > ½ limão
  > Adoçante a gosto
  > 2 iogurtes de soja naturais ou de baunilha com adoçante

Lave os morangos e tire as folhas.

Misture com o suco do meio limão e o adoçante. Experimente, dose a quantidade de adoçante e reserve na geladeira por dez minutos.

Adicione um pouco de molho de morango em cada copo. Adicione um iogurte e, em seguida, mais uma camada de morango.

RECEITAS - SOBREMESAS

Geleia de damasco

■ **CONSOLIDAÇÃO FORA DAS QUINTAS PP**
■ **ESTABILIZAÇÃO FORA DAS QUINTAS PP**

- **Para um pote**
- **Tempo de preparo**
  15 minutos
- **Tempo de cozimento**
  15 minutos
- **Ingredientes**
  > 300 gramas de damasco bem maduros
  > 4 colheres de sopa de adoçante (mais ou menos, de acordo com seu gosto)
  > Um pouco de canela em pó
  > ½ colher de café de ágar-ágar

Lave e corte os damascos em quatro. Coloque-os em uma panela com o adoçante e a canela em pó. Leve ao fogo, deixe ferver e diminua, deixando cozinhar durante cinco minutos.

Adicione o ágar-ágar e cozinhe por mais um minuto a fogo brando, mexendo bem. Esmague o preparo ligeiramente, com a ajuda de um garfo.

Coloque imediatamente em um pote. Feche com papel filme e um elástico. Em seguida, feche com a tampa.

RECEITAS - SOBREMESAS

Ilhas flutuantes com uma nota de moca

- **CRUZEIRO**
- **CONSOLIDAÇÃO FORA DAS QUINTAS PP**
- **ESTABILIZAÇÃO FORA DAS QUINTAS PP**

- **Para quatro pessoas**
- **Tempo de preparo**
  15 minutos
- **Tempo de cozimento**
  20 minutos
- **Tempo de refrigeração**
  1 hora
- **Ingredientes**
  > 380 mililitros de leite condensado sem açúcar com 4% de gordura
  > 100 mililitros de leite desnatado
  > 1 fava de baunilha ou 1 colher de café de aroma de baunilha
  > 4 ovos
  > 1 colher de café de aroma de café
  > 4 colheres de sopa de adoçante em pó
  > 2 colheres de café de amido de milho (alimento tolerado)

- *Contém meio alimento tolerado por pessoa*

Em uma panela, ferva o leite condensado e o desnatado com a fava de baunilha.

Separe as gemas das claras. Em um recipiente, bata as claras em neve com o aroma de café e duas colheres de sopa de adoçante em pó.

Forme bolinhas com as claras em neve, com a ajuda de uma colher de sopa e leve ao forno micro-ondas durante um minuto (800/900 W). Disponha as bolinhas em papel absorvente e deixe esfriar à temperatura ambiente.

Em um outro recipiente, misture as gemas, o adoçante restante e o amido de milho. Despeje o leite quente delicadamente. Coloque o preparo em uma panela e leve ao fogo baixo.

Mexa até a obtenção de um creme. Deixe esfriar à temperatura ambiente e à geladeira durante uma hora.

Despeje o creme em taças, depois adicione as bolas de neve por cima.

RECEITAS - SOBREMESAS

Maçã surpresa de canela

■ **CONSOLIDAÇÃO FORA DAS QUINTAS PP**
■ **ESTABILIZAÇÃO FORA DAS QUINTAS PP**

- **Para quatro pessoas**
- **Tempo de preparo**
  15 minutos
- **Tempo de cozimento**
  25 minutos
- **Ingredientes**
  > 4 maçãs grandes
  > 1 ovo
  > 200 gramas de requeijão cremoso com 0% de gordura
  > 2 colheres de sopa de adoçante
  > 1 colher de café de canela em pó
  > 1 colher de extrato de baunilha líquido

Preaqueça o forno a 180 graus.

Corte as partes de cima das maçãs (como se fossem chapéus) e esvazie-as o máximo possível, sem furá-las.

Em um recipiente, bata o ovo, o requeijão cremoso, o adoçante, a canela e o extrato de baunilha.

Encha as maçãs com o preparo. Coloque novamente os chapéus das maçãs e envolva-as com papel vegetal.

Disponha em uma placa de cozimento e leve ao forno durante 25 minutos.

Sirva e deguste morno.

Índice das receitas

As entradas e pratos vegetarianos são marcados pela cor verde.

ENTRADAS

Bocadas de pepino com ovas de peixe **164**
Bolo de abóbora **184**
Camarões ao molho de curry e tomate-cereja **156**
Camarões em copinhos com molho de baunilha **148**
Copinhos de presunto e molho de tomate **172**
Copinhos refrescantes **174**
Coquetel refrescante com carpaccio **182**
Coroa de legumes grelhados **166**
Duo leve de peru com brócolis **162**
Geleia com salmão defumado **176**
Mil-folhas de pepino e salmão **154**
Minibocadas de salmão defumado **160**
Mousse leve de alho-poró e molho de tomate **168**
Ovos mexidos com ovas de salmão **146**
Prato com ovos e salmão defumado **158**
Sopa de Halloween **170**
Sopa de pimentões com gengibre **178**
Tofu tandoori **180**
Trouxinhas de mexilhão com salmão defumado **152**
Vieiras refogadas com espuma de baunilha **150**

PRATOS PRINCIPAIS

Abóbora à bolonhesa **224**
Alcachofras à indiana com curry e cogumelos **202**
Blanquette de filé mignon com anis e erva-doce **218**
Blanquette vegetariana com seitan **200**
Camarões e frango com leite de coco e especiariais **242**
Carne com pimentões **232**
Cheeseburger ao curry **226**
Chili com carne e tofu **228**
Chucrute de frutos do mar **206**
Coelho ao molho de mostarda e endívias na brasa **214**
Espetinhos de legumes e tofu aos seis sabores **198**
Filés de tainha com manjericão e tomate **236**
Flã de cenoura **220**
Frango ao curry e legumes **234**
Frango com leite de coco, vagens e tofu **240**
Gratinado de bacalhau com cogumelo **208**
Lasanha de berinjela com tofu **230**
Medalhões de linguado com salmão **212**
Mexilhões orientais **216**
Omelete com menta e curry **204**
Quiche de cogumelos e tofu cremoso **222**
Salada japonesa de pepino e omelete de shiratakis de konhaku **192**
Shiratakis de konhaku à bolonhesa **190**
Shiratakis de konhaku com camarões à chinesa **188**
Shiratakis de konhaku com tofu cremoso e legumes **196**
Sukiyaki, *fondue* japonês **194**
Vieiras com tomate recheado **238**
Vôngoles mediterrâneos **210**

SOBREMESAS

Abacaxi com creme inglês gelado **270**
Bolo trapezière **256**
Clafoutis de pistache e damasco **272**
Compota de maçã **274**
Compota de ruibarbo **254**
Crème brûlée de baunilha e avelã com morango **268**
Creme de tangerina com queijo frescal **260**
Creme de tofu e chocolate **252**
Geleia de damasco **280**
Ilhas flutuantes com uma nota de moca **282**
Maçã surpresa de canela **284**
Mousse de dois limões **266**
Mousse aerada de limão **250**
Mousse de limão **262**
Mousse de soja e morango **278**
Panna cotta de baunilha, xarope balsâmico e framboesa **276**
Pão de especiarias **258**
Rocambole de creme de Grand Marnier **264**
Sorvete de muesli **246**
Suflê gelado de chocolate **248**

Bibliografia

Mon carnet de bord Dukan
J'AI LU, 2012

L'Intégrale des recettes Dukan illustrées pour réussir la méthode
FLAMMARION, 2011

A confeitaria Dukan

Os 100 alimentos Dukan à vontade

Le Guide nutritionnel Dukan des aliments santé & minceur
LE CHERCHE MIDI, 2010

Mon secret minceur et santé
J'AI LU, 2009

Les Recettes Dukan : mon régime en 350 recettes
J'AI LU, 2008

Os homens preferem as curvas

Evaluator : 1140 aliments évalués
LE CHERCHE MIDI, 2007

Les Recettes Dukan : mon régime en 350 recettes
FLAMMARION, 2007

Eu não consigo emagrecer
EDITORA BEST SELLER

Dictionnaire de diététique et de nutrition
LGF, 2002

Pour en finir avec la cellulite
GRANCHER, 1992

Maigrir et rester mince
BELFOND, 1987

L'après maigrir
BELFOND, 1985

Maigrir, l'arme absolue
BELFOND, 1983

Agradecimentos

Meu muito obrigado a todos os que me ajudaram a construir este método ao longo de minha vida. E, acima de tudo, aos meus leitores e pacientes que, anônimos e voluntários, moveram-se espontaneamente para torná-lo conhecido.

E, entre eles, uma das mais excepcionais, talentosas e competentes, e particularmente muito modesta: Carole Kitzinger. Sem ela, este livro não teria sido possível.

Já que estamos nos agradecimentos, também quero registrar o nome de Vahinée, que conhece meu método talvez melhor do que eu mesmo.

Agradeço também à Laura, que me ajuda no dia a dia há muitos anos, e que trabalhou ao meu lado para que este método fosse publicado.

Nathalie, Christine, Laetitia, Camelia e Isabelle: para vocês, apenas nomes, mas estrelas para mim.

Saiba mais sobre o Método Dukan em:
www.dietadukan.com.br

CIP-BRASIL. CATALOGAÇÃO NA FONTE
SINDICATO NACIONAL DOS EDITORES DE LIVROS, RJ.

Dukan, Pierre, 1941-
D914e   O método Dukan: ilustrado / Pierre
11ª ed.   Dukan; tradução: Ana Adão. – 11ª ed. – Rio de
    Janeiro: BestSeller, 2015.

  Tradução de: La méthode Dukan illustrée
  ISBN 978-85-7684-657-4

1. Dukan, Pierre, 1941-. 2. Dieta de emagrecimento.
3. Hábitos alimentares - França. 4. Emagrecimento.
5. Nutrição. I. Título.

12-8216   CDD: 613.25
                        CDU: 613.24

Texto revisado segundo o novo Acordo Ortográfico da
Língua Portuguesa.

Título original francês
LA MÉTHODE DUKAN ILLUSTRÉE
Copyright © 2009 by Flammarion Paris
Copyright da tradução © 2012 by Editora Best Seller Ltda.

Publicado mediante acordo com Pierre Dukan, com
projeto gráfico original de Anne-Sophie Lhomme e
Motoko Okuno (págs. 188-203).

Capa: Sense Design
Adaptação do projeto gráfico: Babilonia Cultura Editorial
Fotos: Bernard Radvaner

Todos os direitos reservados. Proibida a reprodução, no todo ou em parte, sem autorização prévia por escrito da editora, sejam quais forem os meios empregados.

Direitos exclusivos de publicação em língua portuguesa para o Brasil adquiridos pela:
EDITORA BEST SELLER LTDA.
Rua Argentina, 171, parte, São Cristóvão
Rio de Janeiro, RJ CEP 20921-380
que se reserva a propriedade literária desta tradução

....

Impresso no Brasil
ISBN 978-85-7684-657-4

Seja um leitor preferencial Record.
Cadastre-se e receba informações sobre nossos lançamentos e nossas promoções.

Atendimento e venda direta ao leitor:
mdireto@record.com.br ou (21) 2585-2002

Impressão e Acabamento: Stamppa.